6-18-50

PRINCIPAUX PARAMÈTRES BIOCHIMIQUES DOSÉS DANS LE SÉRUM HUMAIN

Nathalie Ishak
août 2000

Guy Letellier, Ph. D. Réjean Daigneault, Ph. D.

PRINCIPAUX PARAMÈTRES BIOCHIMIQUES DOSÉS DANS LE SÉRUM HUMAIN

guérin MONTRÉAL - TORONTO
4501 Drolet
Montréal (Québec) H2T 2G2 Canada
(514) 842-3481

Copyright © 1983, Guérin éditeur limitée.
Tous droits réservés.
Il est
interdit de
reproduire,
enregistrer ou
diffuser en tout
ou en partie le
présent ouvrage, par
quelque procédé que ce soit,
électronique, mécanique,
photographique, sonore, magnétique
ou autre, sans avoir obtenu au
préalable l'autorisation écrite de l'éditeur.

Dépôt légal, 1er trimestre 1983.
Bibliothèque nationale du Québec.
Bibliothèque nationale du Canada.
ISBN-2-7601-0912-7
IMPRIMÉ AU CANADA.

Maquette de couverture: Michel Poirier.

Principaux paramètres biochimiques dosés dans le sérum humain:
origine, intérêt clinique, valeurs de référence, interférences méthodologiques.

par

Guy Letellier, Ph. D.
Professeur agrégé de clinique
Département de biochimie
Université de Montréal

Biochimiste, Département de biochimie
Hôpital Notre-Dame.

et

Réjean Daigneault, Ph. D.
Professeur agrégé de clinique
Département de biochimie
Université de Montréal

Chef du Département de biochimie
Hôpital Notre-Dame.

avec la collaboration
de

Bernard Vinet, Ph. D. et France Desjarlais, M. Sc.
Biochimistes, Département de biochimie,
Hôpital Notre-Dame.

INDEX

Les paramètres sont décrits par ordre alphabétique. Le chiffre précédant un paramètre correspond à la page du texte. Le chiffre suivant un terme indique la page du synonyme à consulter.

PRÉFACE

La biochimie clinique a connu un essor prodigieux durant la dernière décennie. Le répertoire d'analyses de notre département compte au-delà de deux cents tests différents. Pour le médecin qui doit interpréter de nombreux résultats, pour l'infirmière qui a la responsabilité des prélèvements, pour la technologiste qui doit exécuter les protocoles expérimentaux, pour la diététiste qui désire vérifier l'effet de ses diètes et enfin pour tous ceux qui ont des relations avec un laboratoire de biochimie clinique, il devient difficile de suivre ce développement.

Nous croyons que le présent document qui traite des principaux paramètres biochimiques sanguins analysés dans un laboratoire de biochimie aidera tous les gens concernés à utiliser plus judicieusement les services offerts. Nous présentons pour chaque paramètre quatre aspects: l'origine du produit, son intérêt clinique, les valeurs de référence et les interférences méthodologiques connues à cette date.

Ce livre ne se veut pas une étude exhaustive de chacun des constituants sanguins mais plutôt un guide accessible à tous les professionnels de la santé, un guide où l'on peut trouver rapidement les informations de base pertinentes aux dosages biochimiques.

L'origine du produit sera exogène si la substance provient de l'alimentation (ex. vitamines), de l'administration d'un médicament (ex. théophylline), ou résulte d'une intoxication (ex. méthanol). Elle sera endogène si l'organisme synthétise le produit (ex.

hormones), s'il dérive du catabolisme (ex. urée), ou s'il provient d'une lésion cellulaire (ex. enzymes). Un paramètre peut avoir les deux origines: le cholestérol provient en partie de l'alimentation (20%) mais l'organisme en synthétise la majeure partie (80%).

Dans la section sur l'intérêt clinique, nous énumérons les conditions cliniques le plus souvent associées avec une diminution ou une augmentation de la concentration sérique ou plasmatique du paramètre analysé. Dans le cas des médicaments, nous soulignons l'intérêt du dosage durant la thérapie pour maintenir un niveau efficace ou éviter un niveau toxique.

Les valeurs de référence sont des valeurs obtenues dans des conditions précises sur des individus présumément sains. Elles varient souvent en fonction de l'âge ou du sexe, ou selon l'état physiologique comme la grossesse. Elles varient légèrement selon les méthodes de dosage. Elles servent de guide au médecin dans l'interprétation des résultats. C'est ainsi qu'une phosphatase alcaline à 150 U/L serait normale chez un enfant, un adolescent ou une femme en post-partum, mais anormalement élevée chez un adulte, homme ou femme. Nous avons établi dans nos laboratoires des valeurs de référence pour la plupart des paramètres présentés dans ce livre. Nous les rapportons en unités conventionnelles et en unités SI. Dans le cas du Système SMAC, un appareil permettant de déterminer simultanément la concentration de 20 paramètres, nous avons établi ces valeurs en fonction de l'âge et du sexe sur 2 850 individus présumément sains, âgés de 1 à 69 ans, comprenant 1 600 adultes et 1 250 enfants et adolescents. On a classé les individus de chaque sexe en un seul groupe pour les 1, 2 et 3 ans, en groupes de 2 ans (4-5, 6-7 ... 18-19 ans), puis en groupes de 10 ans pour les adultes (20-29, 30-39 ...60-69) ans). Nous avons rajouté des figures illustrant les variations en fonction de l'âge et du sexe pour neuf paramètres. Les points ou carrés sur les figures représentent la valeur moyenne obtenue sur au moins 50 individus (jusqu'à 268 individus pour certains groupes). Dans le cas des médicaments, nous affichons les seuils thérapeutiques et toxiques.

Il existe deux types d'interférence avec les dosages. Plusieurs médicaments produisent de nombreuses variations physiologiques. Le médecin devrait connaître l'effet de chaque médicament prescrit à son patient. Nous aborderons uniquement dans ce livre les interférences méthodologiques produites par certains médicaments ou par d'autres facteurs (bilirubine, hémolyse, etc.) sur les méthodes.

Nous désirons exprimer notre gratitude envers plusieurs cliniciens de notre hôpital qui ont révisé la liste des conditions cliniques associées avec les paramètres anormaux.

Guy Letellier
Réjean Daigneault

P.S. Les auteurs apprécieraient recevoir tout commentaire visant à améliorer la qualité de ce document.

Droit d'auteur enregistré
C236-285506

Acétaminophène

Origine

L'acétaminophène (Paracétamol) est un médicament prescrit comme analgésique et antipyrétique. Son absorption est rapide de même que son élimination dans l'urine sous la forme de sulfate et de glucuronide.

L'acétaminophène est aussi le métabolite actif de la phénacétine et de l'acétanilide. On peut donc le retrouver dans le sérum après l'ingestion de ces deux médicaments qui sont aussi utilisés comme analgésique et diurétique.

Intérêt clinique

Le laboratoire peut être confronté avec des cas d'intoxication à l'acétaminophène. Celui-ci peut être obtenu facilement à la pharmacie sans prescription. Or ce médicament est fortement hépatotoxique. Pour tous les cas de décès rapportés suite à l'ingestion d'une grande quantité de ce médicament, on observe une nécrose hépatique aiguë lors de l'autopsie. Il est donc important de connaître le taux sérique tout en tenant compte du délai entre l'ingestion et la ponction veineuse.

Valeurs de référence

	U. convent.	SI
	µg/ml	µmol/L
seuil toxique:	>250	>1 700

Interférences méthodologiques

L'acétaminophène, une substance réductrice, peut interférer avec les méthodes de dosage qui utilisent le principe d'oxydo-réduction. Des interférences ont été rapportées pour les méthodes de dosage du glucose par réaction avec la néocuproïne et le ferricyanure. L'acétaminophène interfère aussi avec les méthodes de dosage de l'acide urique basées sur la réaction avec le phosphotungstate.

Lorsqu'un patient est intoxiqué à l'acétaminophène, l'antidote administré est le N-acétylcystéine, rapidement métabolisée en cystéine. Cette substance, un acide aminé qui possède un pouvoir réducteur, interfère également avec la réaction au phosphotungstate pour le dosage de l'acide urique. De plus, elle augmente l'activité du CK dans les méthodes non optimisées et diminue dans certains cas l'activité de la phosphatase alcaline en chélatant l'ion activateur (Mg^{++} ou Zn^{++}).

Acide ascorbique

Origine

L'acide ascorbique (vitamine C), comme toute autre vitamine, ne peut être synthétisé par l'organisme humain. On doit donc se le procurer par une alimentation équilibrée. C'est un agent réducteur qui peut être réversiblement oxydé en acide déshydro-ascorbique. Il joue un rôle dans un grand nombre de réactions d'oxydo-réduction du métabolisme.

Intérêt clinique

Il y a une très forte diminution du taux d'acide ascorbique chez les patients atteints de scorbut. Toutefois, une personne doit être sur une diète pauvre en acide ascorbique durant 3 ou 4 mois avant que des signes cliniques apparaissent. La grande majorité des cas de scorbut décelés en Amérique du Nord le sont chez des enfants de moins de 2 ans.

Valeurs de référence

	U. convent.	SI
	mg/dl	μmol/L
Enfants et adultes	:0.6 - 2.5	34 - 142
Cas de scorbut	:< 0.2	< 11

Interférences méthodologiques

L'acide ascorbique est un produit instable qui doit être analysé immédiatement. Le prélèvement doit donc parvenir rapidement au laboratoire dans de la glace.

Acide lactique

Origine

L'acide lactique présent dans le sang provient de la dégradation anaérobique du glucose. Il vient surtout des muscles et des globules rouges et est normalement métabolisé par le foie. Sa concentration dans le sang est donc affectée tant par son taux de production que par celui de sa dégradation.

Intérêt clinique

Une diminution importante d'oxygène au niveau des tissus entraîne un blocage de la dégradation aérobique de l'acide pyruvique dans le cycle des acides tricarboxyliques. Ceci entraîne une réduction de l'acide pyruvique en acide lactique et crée une acidose sévère, l'acidose lactique, associée à une augmentation marquée du rapport lactate/pyruvate dans le sang ou le plasma.

Pendant un exercice physique, le taux de lactate s'élève de façon significative mais le taux de pyruvate s'élève parallèlement.

Les conditions cliniques qui entraînent une acidose lactique généralement irréversible sont: un état de choc, un coma diabétique sans cétose et un grand nombre de maladies dans leur phase terminale.

Valeurs de référence

	U. convent.	SI
	mEq/L	mmol/L
adultes (sang veineux)	:0.5 - 2.2	0.5 - 2.2

Interférences méthodologiques

Le prélèvement doit se faire sans garrot dans un tube contenant un anticoagulant et du fluorure, un inhibiteur de la glycolyse. Le prélèvement doit parvenir rapidement au laboratoire de préférence dans de la glace. L'hémolyse interfère avec le dosage et doit donc être évitée.

Acide urique

Origine

L'acide urique est un produit de dégradation des purines synthétisées par l'organisme (source endogène) ou provenant de l'alimentation (source exogène). On le retrouve dans le sang et les tissus. Il est éliminé dans l'urine ou dégradé dans l'intestin par des microorganismes.

Intérêt clinique

Conditions cliniques les plus souvent associées avec une:

diminution	augmentation
• salicylates	• goutte primaire
• uricosuriques	• diurétiques
• allopurinol	• insuffisance rénale chronique ou aiguë
• syndrome de Fanconi	• maladies myéloprolifératives
• néoplasies	• toxémie de la grossesse
• agents radio-opaques	• cétose (jeûne, diabète)
• expectorants	• acidose lactique
• premier trimestre de la grossesse	• hyperlipidémie

Valeurs de référence

Elles varient en fonction de l'âge et du sexe (voir figure).

	U. convent. mg/dl	SI μmol/L
enfants (1-11 ans)	: 2.0 - 6.0	119-357
femmes	: 2.5 - 6.0	149-357

hommes	: 3.4 - 7.8	202-464
nouveau-nés à 4 jours de vie	: 1.5 - 4.3	89-256

Interférences méthodologiques

Un niveau toxique d'acétaminophène va produire une fausse augmentation du taux sérique d'acide urique mesuré par des méthodes à l'acide phosphotungstique alors qu'un niveau thérapeutique ne l'influence pas de façon significative.

Un niveau toxique de cystéine, de méthotrexate, de naproxène ou de rifampin peut aussi donner une valeur faussement élevée pour certaines méthodes à l'uricase.

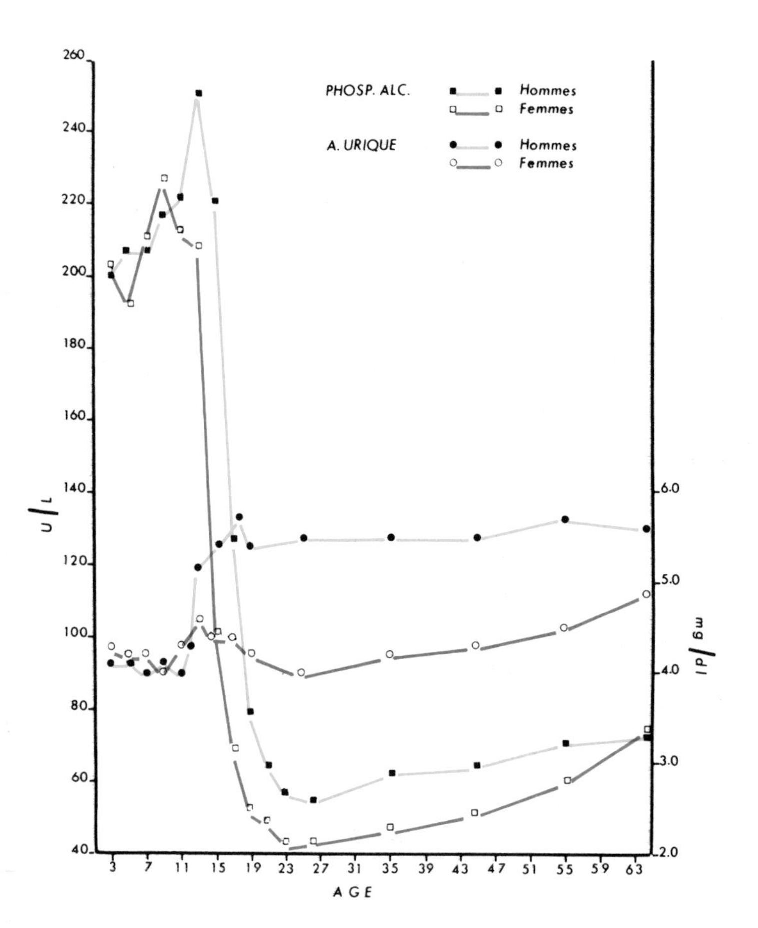
PHOSP. ALC.
Hommes
Femmes
A. URIQUE
Hommes
Femmes
U/L
mg/dl
AGE
260
240
220
200
180
160
140
120
100
80
60
40
6.0
5.0
4.0
3.0
2.0
3
7
11
15
19
23
27
31
35
39
43
47
51
55
59
63

Alanine aminotransférase (ALT)

Origine

L'alanine aminotransférase (ALT; anciennement SGPT) catalyse le transfert de la fonction amine d'un acide aminé (alanine) sur un cétoacide pour former un nouvel acide aminé (acide glutamique). Le foie est le tissu le plus riche en ALT, suivi des reins mais le coeur et les muscles squelettiques en contiennent aussi une quantité appréciable. Lorsque les cellules de ces tissus sont lésées, la concentration de l'enzyme augmente dans le sérum, milieu dans lequel on mesure son activité.

Intérêt clinique

Conditions cliniques le plus souvent associées avec une augmentation d'ALT:

- atteinte hépatique:
  - hépatite virale, toxique ou médicamenteuse
  - cirrhose
  - choléstase
  - tumeur hépatique
- myopathie
- mononucléose
- parasitoses
- leucémies
- brucellose

Valeurs de référence

Elles ne varient que très peu en fonction de l'âge et du sexe:

	U/L
adultes :	0 - 40
nouveau-nés à 4 jours de vie:	12 - 46

Interférences méthodologiques

Aucune interférence connue pour les méthodes cinétiques à 340 nm.

Albumine

Origine

L'albumine est l'une des nombreuses protéines sériques synthétisées par le foie. Elle remplit plusieurs fonctions dont celle du transport de molécules organiques normalement insolubles en solution aqueuse (ex. bilirubine, acides gras, cortisol) en plus de maintenir constante la pression osmotique du plasma.

Intérêt clinique

Conditions cliniques le plus souvent associées avec une:

diminution	augmentation
• syndrome néphrotique	• déshydratation
• malnutrition	
• malabsorption	
• insuffisance hépatique	
• entéropathie exsudative	
• hypoalbuminémie congénitale	
• analbuminémie congénitale	
• brûlures	

Valeurs de référence

	U. convent. g/dl	SI g/L
adultes	: 3.7 - 4.8	37 - 48
femmes en post-partum (1 à 4 jours)	: 2.7 - 3.9	27 - 39
enfants et adolescents	: 3.8 - 5.1	38 - 51
nouveau-nés à 4 jours de vie	: 3.4 - 4.2	34 - 42

Interférences méthodologiques

Aucune interférence n'a pu être notée sur le SMAC (méthode BCG) ou si le résultat est obtenu à partir de l'électrophorèse. Les méthodes immunochimiques sont plus exactes, parce que non sujettes aux interférences causées par la présence des protéines de phase réactionnelle aiguë (e.g. α1-glycoprotéine acide).

Aldostérone

Origine

L'aldostérone est une hormone sécrétée par le cortex surrénalien. Elle contrôle le métabolisme des électrolytes dans l'organisme.

Intérêt clinique

Le dosage de l'aldostérone est prescrit en vue de diagnostiquer une surproduction de cette hormone dans les cas d'hyperaldostéronisme primaire. Une sécrétion excessive entraîne une rétention du sodium, une perte de potassium et éventuellement une hypertension.

On peut aussi observer un hyperaldostéronisme secondaire suite à une insuffisance cardiaque, un syndrome néphrotique, une cirrhose avec ascite ou une sténose unilatérale d'une artère rénale et l'administration de diurétiques.

On peut aussi demander ce test dans le but de rechercher une hypoproduction ou un défaut de production de cette hormone.

Valeurs de référence

Les valeurs varient selon que le patient est en position assise ou couchée et selon l'apport en sodium.

	U. convent.	SI
	pg/ml	pmol/L
patient assis:	40 - 230	111 - 638
patient alité :	38 - 122	105 - 338

Interférences méthodologiques

Tout échantillon contenant de la radioactivité doit être éliminé.

Il faut se rappeler que le plasma peut contenir des anticorps circulants naturels qui peuvent fausser tout dosage d'une hormone.

Aucune autre interférence n'est connue pour la méthode radioimmunologique.

Alpha-1 antitrypsine

Origine

L'alpha-1 antitrypsine est une glycoprotéine. Comme son nom l'indique, elle migre à l'électrophorèse dans la zone des α_1 -globulines et elle peut inhiber la trypsine. Elle est synthétisée au niveau du foie.

Intérêt clinique

La synthèse de cette protéine est sous un contrôle génétique multi-allélique. Ce polymorphisme génétique a permis d'établir un système Pi (Protease inhibitor) utilisé dans des études de population. Une vingtaine d'allèles ont été décrits à cette date. Le phénotype normal (MM) se retrouve chez environ 90% de la population. La déficience sévère (phénotype ZZ) est souvent associée avec l'emphysème pulmonaire, les maladies pulmonaires chroniques et la cirrhose. La prédisposition des phénotypes intermédiaires (e.g.MZ, MS, SZ, etc...) aux maladies pulmonaires reste un sujet de controverse.

Valeurs de référence

	U. convent. mg/dl	SI g/L
Phénotype MM (normal):	200 - 400	2 - 4
Phénotype ZZ (déficient):	< 50	< 0.05

Interférences méthodologiques

Aucune interférence méthodologique connue avec la méthode d'immunodiffusion radiale et la méthode néphélémétrique.

Alpha-1 foetoprotéine

Origine

L'alpha-1 foetoprotéine, une glycoprotéine d'une masse moléculaire de 70 000, migre dans la zone des α_1-globulines lors d'une électrophorèse du sérum. Elle est normalement synthétisée par le foie du foetus.

Intérêt clinique

Cette protéine appartient au groupe des protéines onco-fétales: on la retrouve chez le foetus et dans certaines formes de cancer mais elle n'est normalement présente qu'à l'état de traces chez l'adulte.

Son intérêt clinique vient du fait qu'on a démontré sa réapparition chez l'adulte dans un fort pourcentage de cancers primitifs du foie et de tératoblastomes de l'ovaire et du testicule, et dans un pourcentage moindre de cancers de l'estomac, du pancréas et du poumon. Il faut cependant retenir qu'on peut obtenir un résultat positif dans certaines pathologies hépatiques (cirrhose, hépatite).

La recherche de l'alpha-1 foetoprotéine s'avère aussi utile dans les pathologies de la grossesse, du foetus et du nouveau-né. Des études ont en effet établi que la concentration de cette protéine augmentait dans les cas de détresse fétale, d'immunisation anti-Rh et de malformation du tube neural.

Valeurs de référence

	U. convent.	SI
	ng/ml	μg/L
adultes:	<18	<18

Interférences méthodologiques

Le facteur rhumatoïde interfère avec le dosage immunologique.

Ammoniac

Origine

Le niveau d'ammoniac dans le sang circulant est extrêmement bas chez les individus normaux, généralement moins de 100 µg/dl. Cela surprend si on considère les processus continuels de la désamination oxydative et de la transamination des acides aminés tissulaires ou d'origine alimentaire. Un système très efficace, le cycle de l'urée, est responsable du retrait de l'ammoniac du sang.

Intérêt clinique

Un coma hépatique et une cirrhose en phase terminale sont souvent associés avec une augmentation du taux d'ammoniac sanguin.

Valeurs de référence

Elles varient selon les méthodes. L'ammoniac est dosé sur le plasma provenant de sang entier hépariné.

	U. convent. µg/dl	SI µmol/L
hommes et femmes	: 19 - 60	11 - 35

Interférences méthodologiques

Les anticoagulants citrate et oxalate entraînent des résultats trop élevés d'ammoniac. L'ammoniac augmente très rapidement dans le sang après le prélèvement, c'est pourquoi le spécimen doit être acheminé rapidement sur glace au laboratoire.

Amylase

Origine

L'amylase généralement présente dans le sérum provient surtout du pancréas bien qu'il existe une amylase sécrétée par les glandes salivaires. L'amylase hydrolyse l'amidon en maltose.

Intérêt clinique

Conditions cliniques le plus souvent associées avec une:

diminution

- cirrhose
- cancer du foie
- cholécystite
- dommage hépatocellulaire en phase aiguë

augmentation

- pancréatite aiguë
- pancréatite chronique
- obstruction du canal pancréatique
- ulcère gastrique perforé
- ulcère duodénal perforé
- ulcère peptique perforé
- obtruction intestinale
- péritonite aiguë
- après une chirurgie à l'abdomen
- oreillons
- administration de morphine, codéine et mépéridine (démérol)

Le principal intérêt clinique demeure le diagnostic d'une pancréatite aiguë où l'augmentation de l'activité est très marquée.

Valeurs de référence

Elles varient beaucoup selon les méthodes utilisées.

enfants et adultes: 23 - 85 U/L (méthode sur l'ACA de Du Pont).

Interférences méthodologiques

Il faut éviter de prélever le sang dans un tube contenant du citrate, de l'oxalate, de l'EDTA ou du fluorure puisque ces substances interfèrent avec plusieurs méthodes de mesure de l'activité de l'amylase.

Le technologiste doit prendre garde de ne pas contaminer les échantillons et les réactifs avec de l'amylase salivaire.

Les sérums lactescents peuvent contenir des inhibiteurs de l'amylase.

Antiépileptiques

Origine

Les antiépileptiques (phénobarbital, primidone, carbamazépine, dilantin) sont des médicaments administrés pour une période prolongée dans le traitement de l'épilepsie et des convulsions. Ils sont souvent administrés en association (2 ou 3 à la fois) ou un seul à la fois.

Intérêt clinique

Le dosage des antiépileptiques est important afin d'éviter l'intoxication des patients sous traitement prolongé. À partir des niveaux de chaque médicament, on ajuste la posologie afin de maintenir une concentration sérique efficace.

Valeurs de référence

	U. convent. µg/ml	SI µmol/L
seuils thérapeutiques		
phénobarbital :	15 - 40	65 - 172
primidone (mysoline) :	5 - 12	23 - 53
carbamazépine (tégrétol) :	6 - 10	23 - 43
phénytoïne (dilantin) :	10 - 20	39 - 79

seuils toxiques

dans chaque cas, ce sont les concentrations supérieures aux seuils thérapeutiques.

Interférences méthodologiques

Aucune interférence n'est connue si l'analyse se fait par la méthode utilisant la chromatographie en phase gazeuse; si l'analyse se fait par spectrophotométrie, un seul des antiépileptiques doit être présent dans le sérum.

Aspartate aminotransférase (AST)

Origine

L'aspartate aminotransférase (AST; anciennement SGOT) catalyse le transfert de la fonction amine d'un acide aminé (acide aspartique) sur un cétoacide pour former un nouvel acide aminé (acide glutamique). Le coeur et le foie sont les deux tissus les plus riches en AST mais les muscles squelettiques et les reins en contiennent une quantité appréciable. Lorsque les cellules de ces tissus sont lésées, la concentration de l'enzyme augmente dans le sérum, milieu dans lequel on mesure son activité.

Intérêt clinique

Conditions cliniques le plus souvent associés avec une augmentation:

- atteinte hépatique:
  - —hépatite virale, toxique ou médicamenteuse
  - —cirrhose
  - —choléstase
  - —tumeur hépatique primaire ou métastatique
- infarctus du myocarde ou du poumon
- myopathie
- syndromes hémolytiques
- parasitoses
- mononucléose
- leucémies
- brucellose

Valeurs de référence

Elles ne varient que très peu en fonction de l'âge et du sexe (voir figure de la déshydrogénase lactique).

	U/L
adultes :	0 - 40
jeunes enfants:	0 - 60
nouveau-nés à 4 jours de vie :	35 - 95

Interférences méthodologiques

Une forte hémolyse produit une augmentation d'AST et on doit annuler le résultat s'il est élevé.

Aucune autre interférence connue pour les méthodes cinétiques à 340 nm.

Barbituriques

Origine

Les barbituriques constituent une classe de médicaments hypnotiques. Ils sont abondamment prescrits et par le fait même utilisés fréquemment pour des tentatives de suicide.

Intérêt clinique

Le dépistage des barbituriques dans les liquides biologiques peut être demandé pour identifier la drogue d'intoxication ou la cause d'un coma. Si le test s'avère positif, il convient d'identifier le type de barbiturique afin de déterminer si l'action du médicament sera lente, moyenne ou rapide.

Valeurs de référence

Les concentrations toxiques en barbituriques varient suivant le type de barbiturique:

	U. convent. µg/ml	
action lente :	80	(barbital, phénobarbital)
action moyenne:	10 - 30	(amylobarbital, butobarbital)
action rapide :	7	(pentobarbital, secobarbital)

La présence d'alcool dans le sérum augmente considérablement la toxicité des barbituriques.

Interférences méthodologiques

La méthadone et la cocaïne, à très forte concentration, réagissent comme des barbituriques lors du test colorimétrique qualitatif.

Bilirubine (conjuguée et totale)

Origine

La bilirubine est un pigment biliaire présent dans le sérum et qui provient de la destruction des globules rouges âgés. Le groupement hème de l'hémoglobine est transformé en produits intermédiaires puis en bilirubine qui forme un complexe avec l'albumine. Au niveau du foie, la bilirubine est séparée de l'albumine et elle est convertie en mono- et diglucuronide de bilirubine, la forme conjuguée. Au laboratoire, on peut doser les deux formes de bilirubine, la libre et la conjuguée, ce qui donne la bilirubine totale, ou encore la bilirubine conjuguée seule.

Intérêt clinique

Conditions cliniques le plus souvent associées avec une:

augmentation	
bilirubine conjuguée	bilirubine totale
• atteinte hépatique	• hépatite virale, toxique ou médicamenteuse
• infarctus du myocarde	• cirrhose
• myopathie	• choléstase intra- ou extra-hépatique
• hémolyse	• hyperbilirubinémie conjuguée familiale
• embolie pulmonaire	• septicémie; choc; anoxie hépatique

- leucémie
- anémie pernicieuse
- accidents cérébro-vasculaires
- congestion sanguine hépatique
- hémolyse
- hyperbilirubinémie non conjuguée
- ictère par incompatibilité sanguine

Valeurs de référence

	U. convent. mg/dl	SI µmol/L
Bilirubine conjuguée		
enfants et adultes :	0 - 0.3	0 - 5.1
nouveau-nés à 4 jours de vie :	0.2 - 0.8	3.4 - 13.7
Bilirubine totale		
enfants et adultes :	0 - 1.0	0 - 17.0
post-partum de 1 à 4 jours :	0 - 0.5	0 - 8.6
nouveau-nés à 4 jours de vie :	0 - 12.9	0 - 221

Interférences méthodologiques

Un niveau thérapeutique de p-aminosalicylate produit une fausse augmentation de la bilirubine pour la méthode au p-nitrobenzène de l'ACA de Du Pont. Aucune autre interférence significative n'est connue pour cette méthode ou pour celle de Jendrassik (SMAC).

Bromures

Origine

Les bromures présents dans le sérum proviennent de médicaments dans lesquels ils sont présents sous forme organique ou minérale. Il s'agit surtout de sédatifs qui peuvent être pris en excès.

Intérêt clinique

Les bromures sont utilisés comme des hypnotiques non barbituriques. Les traitements par ces médicaments doivent être suivis par des dosages au niveau du sérum pour éviter les intoxications.

Valeurs de référence

		U. convent. mg/dl	SI mmol/L
seuil thérapeutique	:	100	12.5
seuil toxique	:	>150	>18.8

Interférences méthodologiques

Aucune interférence n'est connue pour le dosage des bromures.

L'ion bromure interfère avec le dosage de l'ion chlorure par les méthodes colorimétriques utilisant le thiocyanate mercurique et par les méthodes à électrode sélective.

Calcium

Origine

Le calcium, un électrolyte provenant de l'alimentation, se retrouve à 99% dans les os. Le reste remplit des fonctions variées et importantes ailleurs dans l'organisme. Le calcium sanguin est présent dans le sérum et son dosage permet d'établir plusieurs diagnostics difficiles à poser du point de vue clinique. Le dosage du calcium sérique seul est d'un intérêt limité car près de 50% est lié à l'albumine et une baisse de celle-ci entraîne une baisse du calcium qui n'est pas reliée au métabolisme de ce cation.

Intérêt clinique

Conditions cliniques le plus souvent associées avec une:

diminution

- hypoalbuminémie
- malabsorption
- malnutrition
- hypovitaminose D
- pseudo-hypoparathyroïdie
- insuffisance rénale ou chronique
- pancréatite aiguë ou chronique
- hypocalcémie néonatale et des prématurés
- ostéoporose

augmentation

- hyperparathyroïdie primaire «HPT-like» (néoplasie)
- métastases ostéolytiques
- intoxication à la vitamine D
- toxicose parathyroïdienne
- sarcoïdose

Valeurs de référence

Elles varient légèrement en fonction de l'âge ou selon les méthodes (voir figure de la phosphatase alcaline).

		U. convent. mg/dl	SI mmol/L
enfants et adolescents	:	9.0 - 11.0	2.25 - 2.74
adultes	:	8.5 - 10.5	2.12 - 2.62
nouveau-nés à 4 jours de vie	:	8.3 - 10.7	2.07 - 2.67

Interférences méthodologiques

Aucune interférence n'est connue avec les méthodes de dosage utilisant la dialyse pour éliminer les protéines. Une hémolyse modérée ou une bilirubine très élevée va abaisser faussement le taux de calcium mesuré par méthode directe.

Capacité de combinaison du fer

Origine

Le fer présent dans le sérum est véhiculé par une protéine, la transferrine. Celle-ci a la propriété de fixer deux atomes de fer. Le fer est ainsi transporté vers les différents sites d'entreposage ou d'utilisation. Dans les conditions normales, seulement 20% à 40% de la transferrine lie des atomes de fer. La somme totale de fer pouvant être liée pour saturer la transferrine s'appelle la capacité totale de combinaison du fer (TIBC, pouvoir sidéropexique). Cette capacité peut être mesurée en laboratoire et il est essentiel de compléter un dosage de fer sérique par la TIBC pour préciser un bon nombre de pathologies. Il existe des méthodes immunologiques permettant de doser la transferrine elle-même (voir transferrine).

Intérêt clinique

Conditions cliniques le plus souvent associées avec une:

diminution	augmentation
• insuffisance hépato-cellulaire; malnutrition	• anémie ferriprive
• syndrome néphrotique; insuffisance rénale	• carence en fer
• anémies hypersidérémiques	• dernier trimestre de la grossesse
• états inflammatoires chroniques	• prise de contraceptifs oraux
• hémochromatose;	
• hémosidérose	

Valeurs de référence

Elles varient selon les méthodes. Les méthodes automatisées donnent des valeurs plus élevées.

	U. convent. µg/dl	SI µmol/L
adultes:	280 - 480	50 - 86

Les valeurs sont plus élevées chez les femmes vers la fin d'une grossesse et chez les enfants.

Interférences méthodologiques

Aucune interférence n'est connue pour les méthodes automatisées à la TPTZ et à la ferrozine.

Carotène

Origine

Le carotène présent dans l'organisme est un précurseur de la vitamine A. Il provient de l'alimentation. Il est absorbé au niveau de l'intestin et mis en réserve dans le foie où il est transformé en vitamine A.

Intérêt clinique

Le niveau de carotène est utile pour déceler un syndrome de malabsorption ou une carence alimentaire.

Valeurs de référence

Elles varient selon les techniques utilisées.

	U. convent.	SI
	μg/dl	μmol/L
enfants et adultes:	70 - 250	1.3 - 4.6

Interférences méthodologiques

La présence d'hémolyse produit une diminution significative de la concentration en carotène.

Céruloplasmine

Origine

La céruloplasmine du sérum est une protéine synthétisée au niveau du foie. Elle agit comme une oxydase et fixe plus de 90% du cuivre sérique véhiculé dans l'organisme. Elle peut être dosée en tant que protéine ou selon son activité enzymatique (cuivre oxydase).

Intérêt clinique

Conditions cliniques le plus souvent associées avec une:

diminution	augmentation
• dégénérescence hépato-lenticulaire: maladie de Wilson	• grossesse
• syndrome néphrotique	• traitement avec des oestrogènes
• sclérodermie du petit intestin	• hépatite virale
• malabsorption, malnutrition	• maladie de Hodgkin
	• carcinome avec métastases
	• hyperthyroïdie
	• anovulants

Valeurs de référence

		U. convent. mg/dl	SI g/L
adultes	:	22 - 42	0.22 - 0.42
mères à terme	:	53 - 120	0.53 - 1.20

bébés (1 à 4 mois) :	11 - 30	0.11 - 0.30
nouveau-nés :	3 - 20	0.03 - 0.20

Interférences méthodologiques

Aucune interférence connue pour la méthode d'immunodiffusion radiale.

Chlorures

Origine

L'ion chlorure est l'anion prédominant des liquides extracellulaires (plasma et liquide interstitiel). Il joue donc un rôle important dans la distribution de l'eau et la pression osmotique des divers liquides de l'organisme. Dans les conditions normales, la quantité ingérée correspond à la quantité excrétée. La majeure partie est éliminée par filtration glomérulaire.

Intérêt clinique

Conditions cliniques le plus souvent associées avec une:

diminution	augmentation
• alcalose métabolique	• acidose métabolique hyperchlorémique
—vomissements ou succion gastrique	—diarrhée
—diurétiques	—acidose tubulaire rénale
—hypercorticoïsme	—acétazolamide (Diamox)
• acidose respiratoire chronique	• alcalose respiratoire chronique
• pyélonéphrite chronique	• hypernatrémie
	• déshydratation sévère

Valeurs de référence

Elles varient très peu en fonction de l'âge et du sexe.

	U. convent.	SI
	mEq/L	mmol/L
enfants et adultes:	98 - 108	98 - 108

Interférences méthodologiques

Les méthodes colorimétriques utilisant le thiocyanate mercurique et les méthodes à électrode «sélective» pour l'ion chlorure mesurent aussi les ions bromure et iodure.

Cholestérol

Origine

L'organisme synthétise le cholestérol présent dans le sérum dans une proportion d'environ 80%. Les tentatives d'abaisser le niveau sérique en diminuant l'apport alimentaire en cholestérol n'ont été que peu fructueuses, la baisse n'étant que d'environ 15%. Le cholestérol est synthétisé à partir d'acétyl CoA. Un excès d'acides gras, de glucides, voire d'acides aminés peut donc être transformé en cholestérol. Pour diminuer davantage le taux de cholestérol, il faut également diminuer l'apport de graisses et de sucres simples. En général, un taux élevé de cholestérol sans signes cliniques est héréditaire et provient d'une erreur innée du métabolisme.

Plusieurs études épidémiologiques ont démontré que le taux de cholestérol de la fraction α-lipoprotéine ou HDL (lipoprotéines de haute densité) exerce un pouvoir protecteur vis-à-vis l'athérosclérose, d'où le grand intérêt manifesté pour cette analyse. Il a en effet été démontré que le risque athérogène est proportionnel au taux de cholestérol LDL (lipoprotéines de faible densité) et inversement proportionnel au taux de cholestérol HDL.

Intérêt clinique

Conditions cliniques le plus souvent associées avec une:

diminution	augmentation
• insuffisance hépato-cellulaire	• hypothyroïdie

- malabsorption
- malnutrition
- hyperthyroïdie
- anémie
- abéta-lipoprotéinémie

- syndrome néphrotique
- diabète sucré
- hyperlipoprotéinémie de type II
- intoxication alcoolique
- pancréatite
- grossesse (3e trimestre)
- hépatite toxique (arsenic)
- ischémie cardiaque

Valeurs de référence

Il y a une augmentation constante du taux de cholestérol sérique en fonction de l'âge à partir de 20 ans et ce pour les deux sexes; est-ce que cela est normal et est-ce que l'on peut parler de valeurs de référence (voir figure)?

	U. convent. mg/dl	SI mmol/L
nouveau-nés à 4 jours de vie:	100 - 166	2.6 - 4.3
enfants et adolescents:		
1 à 19 ans :	110 - 230	2.8 - 6.0
femmes		
20 à 45 ans :	130 - 260	3.4 - 6.7
45 ans et plus :	150 - 300	3.9 - 7.7
post-partum (1 à 4 jours):	140 - 285	3.6 - 7.4
hommes:		
20 à 29 ans :	120 - 240	3.1 - 6.2
30 à 39 ans :	140 - 260	3.6 - 6.7
40 à 49 ans :	140 - 300	3.6 - 7.7
50 ans et plus :	150 - 290	3.9 - 7.5

Interférences méthodologiques

Une augmentation de la bilirubine sérique interfère avec le dosage du cholestérol. Dans le cas de la méthode de Liebermann-Burchard, cette interférence est linéaire: chaque mg/dl de bilirubine augmente faussement le cholestérol de 4 mg/dl. Une correction peut être apportée par calcul. Dans le cas des méthodes de dosage enzymatiques, l'interférence varie beaucoup suivant la composition du réactif employé. Généralement la bilirubine provoque une diminution de la valeur du cholestérol de l'ordre de 2 à 3 mg/dl par mg/dl de bilirubine.

L'hémolyse interfère avec le dosage du cholestérol par les méthodes directes. Une légère hémolyse, le sérum possédant une légère teinte rosée, n'interfère pas de façon significative. Un sérum d'un rouge bourgogne faussera le cholestérol en augmentant sa valeur jusqu'à 40 mg/dl.

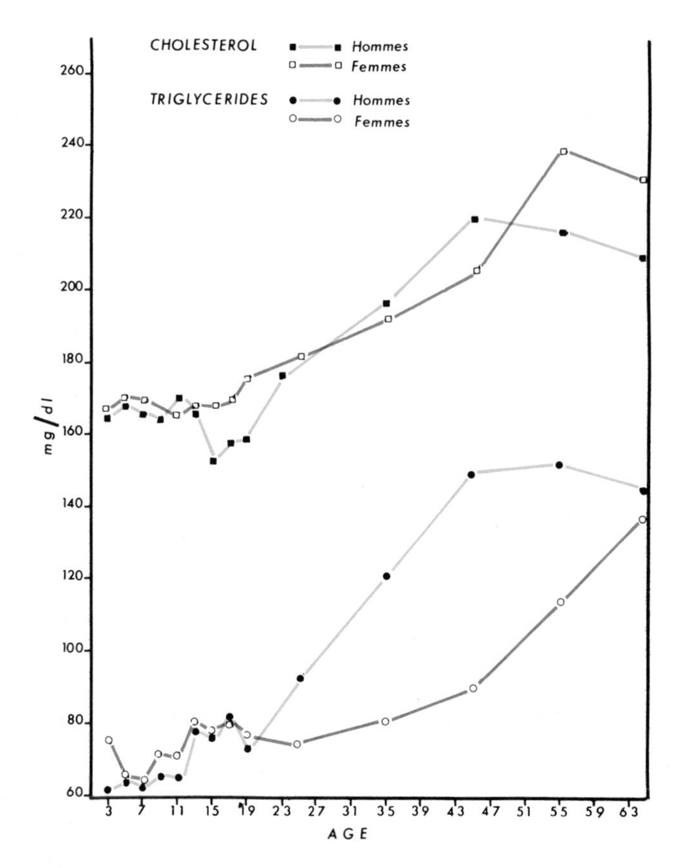
CHOLESTEROL
Hommes
Femmes
TRIGLYCERIDES
Hommes
Femmes
mg/dl
260
240
220
200
180
160
140
120
100
80
60
3
7
11
15
19
23
27
31
35
39
43
47
51
55
59
63
AGE

Cholinestérase

Origine

La cholinestérase sérique, un enzyme synthétisé au niveau du foie, catalyse l'hydrolyse de l'acétylcholine et d'autres dérivés de la choline. L'acétylcholine est synthétisée au niveau des terminaisons nerveuses et sert à transmettre l'influx nerveux aux fibres musculaires. La cholinestérase détruit l'acétylcholine une fois l'impulsion transmise, afin de permettre d'autres impulsions, autrement le muscle resterait constamment contracté.

Intérêt clinique

Conditions cliniques le plus souvent associées avec une:

diminution

- cirrhose avancée
- métastases hépatiques
- hépatite aiguë
- intoxication aux insecticides:
  —parathion, sarin
  —tétraéthyl pyrophosphate
- forme atypique de l'enzyme

augmentation

- syndrome néphrotique

Valeurs de référence

Les valeurs de référence varient selon le substrat et la température d'incubation utilisés dans la technique. Elles sont identiques pour les enfants et les adultes. Elles doivent accompagner chaque résultat.

substrat incubé à 37° C	
benzoyl choline:	43 - 69 U/L
	% d'inhibition
dibucaïne:	78 - 85
fluorure:	57 - 64
chlorure:	11 - 20

Interférences méthodologiques

Il faut éviter le plasma obtenu en présence de fluorure. Le sérum est toujours préférable pour le dosage.

Complément C3 et C4

Origine

Le complément constitue un ensemble de 9 protéines plasmatiques nommées C1 à C9 synthétisées par les macrophages. Le système du complément est une entité essentielle pour assurer une réponse immunologique normale puisqu'il permet la phagocytose et la lyse des bactéries et des virus. Le complément peut être activé, avec comme conséquence la destruction des cellules cibles, par des interactions antigène-anticorps ou par contact avec les liposaccharides de la paroi bactérienne. Il peut aussi y avoir dérèglement du système qui cause une activation spontanée avec dépôt de complexes antigène-anticorps à la surface des cellules de l'hôte (maladies auto-immunes). Les protéines C3 et C4 sont des bêta-glycoprotéines.

On peut mesurer les protéines du complément par des méthodes immunologiques ou biologiques.

Intérêt clinique

Conditions cliniques le plus souvent associées avec une:

diminution	augmentation
• déficit héréditaire en C3 ou C4	• maladies inflammatoires
• maladies systémiques à complexes immuns	
• lupus systémique érythémateux	

- vasculite rhumatoïde
- maladies infectieuses
- glomérulonéphrite

Valeurs de référence

	U. convent. mg/dl	SI g/L
C3:	35 - 65	0.35 - 0.65
C4:	10 - 50	0.1 - 0.5

Interférences méthodologiques

Bonne spécificité des méthodes immunologiques. De nombreux produits de conversion apparaissent «in vitro» ce qui peut être évité en prélevant le sang en présence d'EDTA qui chélate le calcium et dissocie le complexe C1 avec perte de fonction.

Cortisol

Origine

Le cortisol (hydrocortisone) est une hormone sécrétée par le cortex surrénalien. Son précurseur est le 11-désoxycortisol. C'est le principal glucocorticoïde retrouvé dans le plasma. Chez les humains, la concentration plasmatique est plus élevée tôt le matin et plus faible au cours de la soirée, atteignant un minimum vers minuit. Le cortisol contribue à maintenir un niveau normal de glucose dans le sang et exerce une action antianabolique sur les protéines. Il produit plusieurs autres effets d'importance vitale (e.g. maintien de la tension artérielle, du tonus musculaire, etc.)

Intérêt clinique

Conditions cliniques le plus souvent associées avec une:

hyposécrétion	hypersécrétion
• maladie d'Addison	• maladie de Cushing
• surrénalectomie	• grossesse
• hypofonctionnement hypophysaire	• hyperthyroïdie
	• stress

Valeurs de référence

Les valeurs de référence sont de l'ordre de 6 - 25 µg/dl (166 - 695 nmol/L) pour un prélèvement fait entre 8 et 10 heures. Des résultats près de la limite inférieure devraient généralement être trouvés sur un prélèvement obtenu le soir.

Interférences méthodologiques

Tout échantillon contenant de la radioactivité doit être éliminé.

Il faut se rappeler que le plasma peut contenir des anticorps circulants naturels qui peuvent fausser tout dosage d'une hormone.

Aucune autre interférence n'est connue pour la méthode radioimmunologique.

CO_2 total

Origine

Le CO_2 total du sang ou du sérum comprend une fraction ionisée, le bicarbonate (HCO_3^-), et le CO_2 dissous. Il provient principalement du catabolisme des glucides, des lipides et des protides. Il est éliminé principalement sous forme de CO_2 par les poumons ou sous forme d'urée par combinaison avec deux molécules d'ammoniac.

Intérêt clinique

Conditions cliniques le plus souvent associées avec une:

diminution	augmentation
• acidose métabolique hyperchlorémique	• alcalose métabolique
—diarrhée	—vomissements
—acidose tubulaire rénale	—succion gastrique
—acétazolamide (Diamox)	—diurétiques
—utéro-sigmoïdostomie	—hypercorticoïsme
—vessie iléale	
• acidose métabolique normochlorémique	• acidose respiratoire chronique
—cétose diabétique	
—acidose lactique	
—intoxication médicamenteuse	
—insuffisance rénale	
• alcalose respiratoire chronique	

Valeurs de référence

	U. convent. mEq/L	SI mmol/L
nouveau-nés :	16 - 23	16 - 23
enfants d'un mois à 5 ans:	20 - 28	20 - 28
enfants de plus de 5 ans et adultes :	23 - 31	23 - 31
mères à terme :	17 - 27	17 - 27

Interférences méthodologiques

Aucune interférence n'est connue pour la méthode colorimétrique du SMA 6/60.

Créatine

Origine

La créatine est synthétisée au niveau du foie et du pancréas à partir de trois acides aminés, l'arginine, la glycine et la méthionine. Elle diffuse ensuite dans le système vasculaire pour être transportée vers plusieurs types de cellules, principalement les cellules musculaires. Elle est ensuite phosphorylée pour donner la créatine phosphate convertible en ATP. Dans des conditions normales, environ 2% de la créatine est transformée en créatinine chaque jour.

Intérêt clinique

La créatine sérique est augmentée dans les maladies associées avec une nécrose musculaire. Le dosage de la créatine kinase a largement remplacé celui de la créatine qui ne sert que de contrôle au premier.

Valeurs de référence

	U. convent. mg/dl	SI µmol/L
femmes:	0.3 - 0.9	23 - 69
hommes:	0.2 - 0.5	15 - 38

Interférences méthodologiques

Aucune interférence n'est connue pour le dosage de la créatine.

Créatine kinase

Origine

La créatine kinase (CK), anciennement nommée créatine phosphokinase (CPK), est un enzyme qui catalyse la réaction réversible de la phosphorylation de la créatine par l'ATP. On peut retrouver trois isoenzymes: un présent surtout dans le muscle cardiaque (CK-MB), un autre dans le muscle squelettique (CK-MM) et un troisième dans le tissu nerveux, l'intestin, le rein, la thyroïde et la prostate (CK-BB). La mesure du CK-MB est un test très sensible pour le diagnostic de l'infarctus du myocarde. Cet isoenzyme augmente dans le sérum environ 4 heures après le début de l'infarctus, atteint un sommet après 24 heures puis diminue progressivement. Dans le cas d'un nouvel infarctus, le pourcentage de CK-MB par rapport à l'activité totale augmente à nouveau.

Intérêt clinique

Conditions cliniques le plus souvent associées avec une:

augmentation

- infarctus du myocarde
- myopathie
- chirurgie
- injection intramusculaire
- traumatisme cérébral
- hypothyroïdie
- exercices inhabituels
- femme porteuse du gène de la dystrophie musculaire.

Valeurs de référence

Elles varient en fonction de l'âge et du sexe (voir figure). Elles varient également selon les méthodes.

SMAC (méthode colorimétrique en point final à 37° C)		U/L
enfants de 1 à 11 ans	:	0 - 220
filles de 12 à 15 ans	:	0 - 150
garçons de 12 à 15 ans	:	0 - 300
adolescentes de 16 à 19 ans	:	0 - 120
adolescents de 16 à 19 ans	:	0 - 260
femmes	:	0 - 106
hommes	:	0 - 175
femmes en post-partum (1 à 4 jours)	:	0 - 225
nouveau-nés à 4 jours de vie	:	38 - 450

Interférences méthodologiques

La cystéine, le métabolite de la N-acétylcystéine administrée comme antidote à l'acétaminophène, est un activateur de la créatine kinase. Elle augmente l'activité de celle-ci lorsqu'elle est mesurée par une méthode non optimisée. C'est le cas de la méthode colorimétrique du SMAC et de certaines méthodes cinétiques non optimisées. La D-pénicillamine ($\beta\beta$-diméthylcystéine), un agent chélateur prescrit dans les cas de maladie de Wilson et d'arthrite rhumatoïde, produit la même interférence.

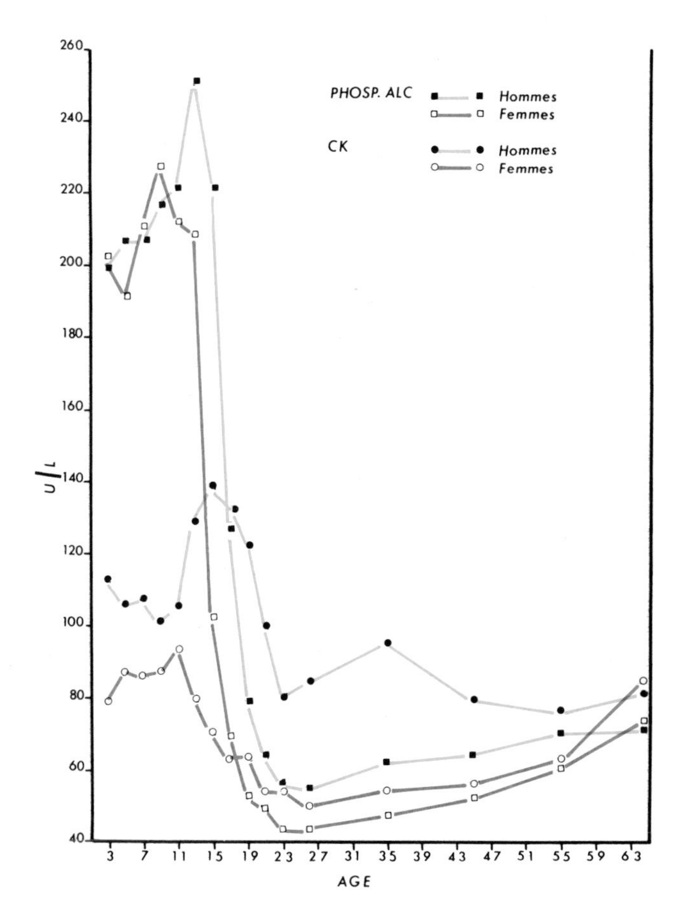

PHOSP. ALC
Hommes
Femmes
CK
Hommes
Femmes
U/L
260
240
220
200
180
160
140
120
100
80
60
40
3
7
11
15
19
23
27
31
35
39
43
47
51
55
59
63
AGE

Créatinine

Origine

La créatinine, le produit de dégradation de la créatine, provient de la créatine phosphate musculaire. Environ 2% de la créatine phosphate est transformée en créatinine chaque jour et la quantité transformée dépend de la masse musculaire. L'élimination de la créatinine se fait par filtration glomérulaire et elle est indépendante de la diète, d'où l'intérêt de la mesure de la clearance de la créatinine.

Intérêt clinique

Conditions cliniques le plus souvent associées avec une:

diminution	augmentation
• grossesse	• insuffisance rénale aiguë ou chronique
• SIADH*	
• dénutrition	

* Sécrétion inadéquate d'hormone antidiurétique.

Valeurs de référence

Les valeurs de référence sont très légèrement supérieures chez l'homme par rapport à la femme et elles augmentent peu en fonction de l'âge:

	U. convent. mg/dl	SI μmol/L
hommes	: 0.7 - 1.4	62 - 124
femmes	: 0.6 - 1.2	53 - 106
enfants	: 0.5 - 1.2	44 - 106
nouveau-nés à 4 jours de vie	: 0.4 - 1.0	35 - 88

Interférences méthodologiques

Trois céphalosporines (céfoxitin, céphalothin, céphaloridine) réagissent avec le picrate alcalin de la réaction de Jaffé. Le degré d'interférence variera selon les concentrations des réactifs, la température, la présence d'un tampon et les temps de cinétique utilisés. L'interférence est faible s'il y a une étape de dialyse. Pour les autres méthodes, l'interférence est souvent significative pour une concentration thérapeutique. Il est impossible de faire une clearance de la créatinine pour un patient traité avec un de ces trois antibiotiques. Huit autres céphalosporines ne réagissent pas avec le picrate (céphalexin, céphaloglycine, céfamandole, céfazolin, céphapirin, céphacétrile, céfotaxime, moxalactame).

Cuivre

Origine

Le cuivre fait partie du groupe des métaux présents à l'état de traces dans le sérum. Le besoin en cuivre n'est que de 2 mg par jour pour une quantité totale de 100 mg dans l'organisme. Une déficience en cuivre provoque des variations dans la croissance et dans le métabolisme.

Intérêt clinique

Conditions cliniques le plus souvent associées avec une:

diminution	augmentation
• malnutrition	• dégénérescence hépato-lenticulaire: maladie de Wilson
• malabsorption	• néoplasies (leucémie)
• syndrome néphrotique	• hémochromatose
	• cirrhose biliaire
	• thyrotoxicose
	• infections diverses
	• grossesse
	• anovulants

Valeurs de référence

	U. convent. µg/dl	SI µmol/L
hommes:	70 - 140	11.0 - 22.0
femmes :	80 - 155	12.6 - 24.3
enfants :	80 - 190	12.6 - 29.8

Interférences méthodologiques

Aucune interférence connue si le dosage est fait par absorption atomique.

Déshydrogénase lactique

Origine

La déshydrogénase lactique (LDH) catalyse la réaction d'oxydation réversible de l'acide lactique en acide pyruvique. Cet enzyme est présent dans presque tous les tissus de l'organisme d'où son manque de spécificité. On le retrouve en fortes concentrations dans le foie, le coeur, le rein, le muscle squelettique et le globule rouge. Lorsque les cellules de ces tissus sont lésées, la concentration de l'enzyme augmente dans le sérum, milieu dans lequel on mesure son activité. On peut séparer cinq isoenzymes par électrophorèse ou par chromatographie, ce qui permet d'augmenter la spécificité diagnostique: les LDH_1 et LDH_2 proviennent du coeur et du globule rouge, la LDH_5 du muscle squelettique et du foie.

Intérêt clinique

Conditions cliniques le plus souvent associées avec une augmentation de l'activité de la LDH:

- atteinte hépatique
- infarctus du myocarde
- myopathie
- hémolyse
- embolie pulmonaire
- leucémie
- anémie pernicieuse
- anémie mégaloblastique
- accidents cérébro-vasculaires
- intoxication aux solvants organiques
- interventions chirurgicales.

Valeurs de référence

L'activité de la LDH sérique varie de façon importante en fonction de l'âge surtout chez les enfants (voir figure).

		U/L
enfants (1 à 3 ans)	:	180 - 400
(4 à 7 ans)	:	180 - 330
(8 à 11 ans)	:	160 - 300
(12 à 15 ans)	:	140 - 280
adolescents (16 à 19 ans)	:	110 - 230
adultes	:	115 - 225
femmes en post-partum (1 à 4 jours)	:	140 - 330
nouveau-nés à 4 jours de vie	:	>500

Interférences méthodologiques

Une légère hémolyse va produire une augmentation significative de la LDH. On doit automatiquement annuler tout résultat élevé obtenu sur un sérum hémolysé.

Un niveau thérapeutique de triamtérène (Dyrénium) ou de furosémide (Lasix) produit un résultat faussement élevé par la méthode fluorimétrique, mais il n'influence pas les méthodes cinétiques à 340 nm.

Un niveau toxique de salicylates (40 mg/dl) augmente faussement l'activité de la LDH par la méthode fluorimétrique, mais elle n'influence pas la méthode du SMAC et les méthodes cinétiques à 340 nm.

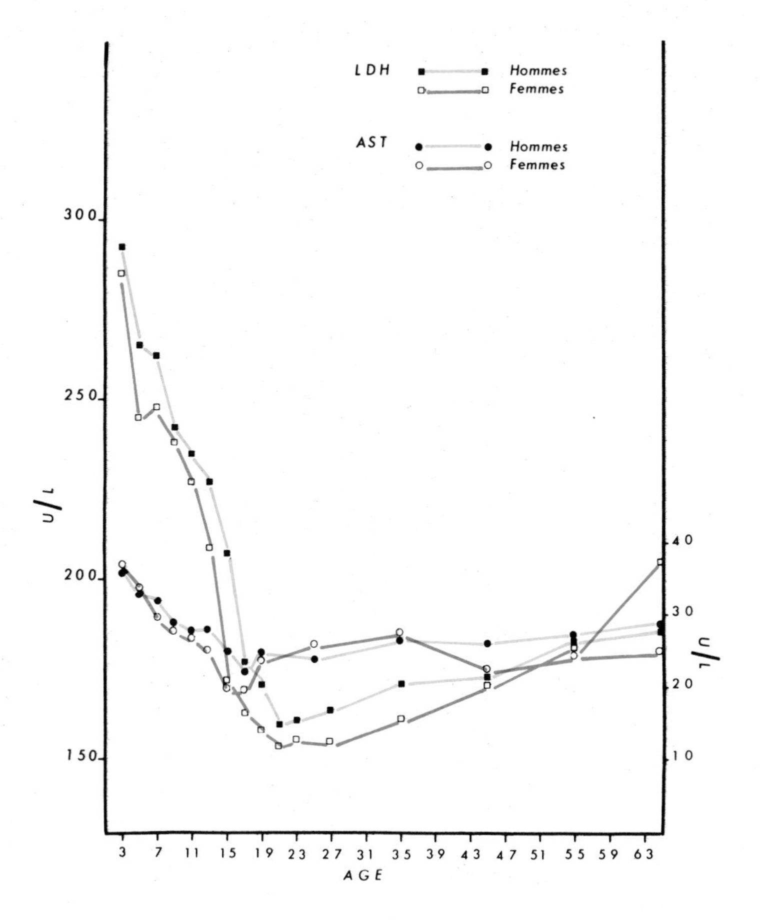
LDH
Hommes
Femmes
AST
Hommes
Femmes
300
250
200
150
U/L
40
30
20
10
U/L
3
7
11
15
19
23
27
31
35
39
43
47
51
55
59
63
AGE

11-Désoxycortisol

Origine

Le 11-désoxycortisol (composé S), une hormone de structure stéroïdienne sécrétée par le cortex surrénalien, fait partie du groupe des 11-oxystéroïdes tout comme le cortisol. Il est le précurseur immédiat du cortisol.

Intérêt clinique

Le 11-désoxycortisol est principalement dosé pour évaluer les réserves de l'hypophyse en ACTH après administration de métyrapone (métapyrone, métopirone). Ce produit inhibe l'enzyme 11-β-hydroxylase qui transforme le 11-désoxycortisol en cortisol. Ceci a pour effet de libérer de l'ACTH, laquelle en retour stimule le cortex surrénalien qui sécrète un surplus de 11-désoxycortisol. Une absence de sécrétion peut alors provenir d'une baisse de sécrétion d'ACTH ou d'un hypofonctionnement du cortex surrénalien. On peut alors administrer de l'ACTH. Si cette baisse de sécrétion se maintient, on peut conclure à une insuffisance du cortex surrénalien.

Valeurs de référence

Le taux normal de 11-désoxycortisol est de 0 - 5 μg/dl (0 - 0.15 μmol/L) de plasma ou de sérum.

Interférences méthodologiques

Tout échantillon contenant de la radioactivité doit être éliminé.

Il faut se rappeler que le plasma peut contenir des anticorps circulants naturels qui peuvent fausser tout dosage d'une hormone.

Digoxin

Origine

Le digoxin (Lanoxin) est un médicament prescrit aux malades souffrant d'arythmies auriculaires ou de cardiopathies décompensées.

Intérêt clinique

Ce médicament, bien que donné à de faibles doses, est extrêmement toxique et les seuils thérapeutiques sont voisins des seuils d'intoxication. Les effets non désirés les plus fréquemment rencontrés consistent en divers troubles cardiaques ou gastro-intestinaux. Parmi ces derniers, soulignons l'anorexie, les nausées et les vomissements. Le système nerveux central peut aussi être atteint sous la forme de fatigue, de faiblesse, d'insomnie ou de migraines.

Valeurs de référence

	U. convent. ng/ml	SI nmol/L
seuil thérapeutique :	0.8 - 2.0	1.0 - 2.6
seuil toxique :	> 2.4	>3.1

Interférences méthodologiques

Le digitoxin, la ouabaïne, la prednisolone et le triamtérène (Dyrénium) conduisent à des résultats faussement élevés avec la méthode radioimmunologique.

Le digitoxin et la ouabaïne interfèrent avec la méthode EMIT.

Disopyramide

Origine

La disopyramide (Norpace, Rythmodan) est un nouveau médicament faisant partie des antiarythmiques. Ceux-ci sont divisés en groupes selon leur activité électrophysiologique. La disopyramide appartient au même groupe que la quinidine et la procaïnamide, médicaments qui diminuent le taux de dépolarisation diastolique dans les cellules myocardiques en phase 4, l'automaticité du myocarde et la vitesse de conduction. On l'utilise pour l'élimination ou la prévention de contractions ventriculaires prématurées. Elle est aussi administrée lors d'épisodes de tachycardie ventriculaire.

Intérêt clinique

Il existe deux raisons majeures pour doser la disopyramide. La concentration sérique thérapeutique de la disopyramide varie en effet à l'intérieur de limites étroites voisines du seuil toxique. De plus ce médicament possède une pharmacocinétique complexe.

Les principaux signes toxiques sont: une diminution du débit urinaire pouvant aller jusqu'à l'obstruction; de la constipation; une vision confuse; une sécheresse de la bouche, du nez, des yeux et de la gorge; des nausées, de la diarrhée, des vomissements et de l'anorexie.

Valeurs de référence

	U. convent.	SI
	μg/ml	μmol/L
seuil thérapeutique :	2 - 5	6 - 15
seuil toxique :	>7	>21

Interférences méthodologiques

Aucune interférence n'est connue pour les méthodes EMIT, GLC et HPLC.

Une concentration sérique en disopyramide de 20 μg/ml ne produit aucune interférence avec les méthodes usuelles d'un profil SMA 12/60 ou SMA 6/60.

Electrophorèse des protéines

Origine

On entend par électrophorèse la migration de particules chargées sous l'influence d'un courant électrique. On effectue la séparation à pH constant dans des conditions bien définies sur un support donné (acétate de cellulose, agarose, gel de polyacrylamide, etc.). Dans le cas des protéines sériques, la séparation s'effectue à pH 8.6. À ce pH, les protéines sont chargées négativement et migrent vers l'anode. Selon le support utilisé, on peut distinguer de 5 à 15 bandes. On peut analyser le sérum, le liquide céphalo-rachidien et l'urine.

Intérêt clinique

La méthode permet de déceler des variations dans la concentration de certaines protéines ou de certaines fractions, de même que la présence de certaines bandes anormales (constituants monoclonaux, oligoclonaux et polyclonaux).

Conditions cliniques le plus souvent associées avec une modification du profil électrophorétique sérique:

- déficience en alpha-1-antitrypsine
- maladies inflammatoires chroniques
- syndrome néphrotique
- cirrhose
- hypogammaglobulinémie
- myélome multiple
- macroglobulinémie de Waldenström.

Valeurs de référence

	Électrophorèse sur acétate de cellulose		
	U. convent. g/dl	%	SI g/L
Albumine :	3.4 - 5.3	50 - 70	34 - 53
α1-globulines:	0.2 - 0.4	2 - 6	2 - 4
α2-globulines:	0.4 - 0.9	6 - 13	4 - 9
β-globulines :	0.6 - 1.0	9 - 14	6 - 10
γ-globulines :	0.7 - 1.4	9 - 19	7 - 14

Interférences méthodologiques

Aucune interférence de rapportée.

Éthosuximide

Origine

L'éthosuximide (Zarontin) est un médicament administré pour traiter les absences (petit mal) chez les patients atteints d'épilepsie généralisée. Les absences sont alors caractérisées par de brefs épisodes transitoires de perte de conscience sans convulsions. Administré par voie orale, il est absorbé à 100%. Il n'est pas lié aux protéines.

Intérêt clinique

Le dosage de l'éthosuximide est principalement important pour les patients avec une atteinte hépatique ou rénale car son absorption, sa distribution, son métabolisme et son excrétion ne sont pas connus.

Un taux sérique élevé peut s'accompagner d'effets non désirés comme des nausées, des vomissements et de l'anorexie.

Valeurs de référence

		U. convent.	SI
		μg/ml	μmol/L
seuil thérapeutique	:	40 - 100	285 - 710
seuil toxique	:	> 150	>1 065

Interférences méthodologiques

Les méthodes utilisant le principe de la GLC sont sensibles et spécifiques. Les autres anticonvulsivants n'interfèrent pas.

L'éthosuximide à une concentration très élevée de 400μg/ml ne produit aucune interférence sur les paramètres d'un profil SMAC.

Fer sérique

Origine

La quantité totale de fer chez un adulte est de 4 à 5 g. Le fer physiologiquement actif est présent sous forme de chromoprotéines (hémoglobine, myoglobine) et agit comme transporteur d'oxygène. Le fer du sérum est lié à une protéine, la transferrine, qui le véhicule vers les lieux d'entreposage ou d'utilisation. Chez un individu normal, environ 20 à 40% seulement de la transferrine est saturée en fer. Le fer présent dans le sérum plus le fer qui pourrait être lié forment la capacité totale de combinaison du fer (TIBC).

Intérêt clinique

Conditions cliniques le plus souvent associées avec une:

diminution	augmentation
• spoliation sanguine	• hémochromatose
• défaut d'absorption intestinale	• hémosidérose
• néoplasie (sidérose SRE)	• surcharge en fer
• polycythémie	• atteinte hépatique
• néphrose	• anémie pernicieuse
• fin de la grossesse	
• anémie ferriprive	

Valeurs de référence

Le taux de fer sérique varie durant la journée chez un individu sain mais il demeure à l'intérieur des valeurs de référence.

		U. convent.	SI
		μg/dl	μmol/L
adultes et enfants	:	50 - 180	8.9 - 32.2
nouveau-nés à 4 jours de vie	:	55 - 111	9.8 - 20.0

Interférences méthodologiques

Aucune interférence n'est connue pour la méthode à la ferrozine du SMAC ou la méthode à la TPTZ sur l'AutoAnalyseur.

Ferritine

Origine

La ferritine, une protéine d'emmagasinage du fer, se retrouve dans l'intestin où elle joue un rôle dans l'absorption du fer ainsi que dans le foie, la rate et la moelle osseuse. Des études récentes ont démontré que la concentration en ferritine plasmatique, bien que faible, reflète le degré d'entreposage du fer dans l'organisme. Cette protéine renferme 24% de fer.

Intérêt clinique

Conditions cliniques le plus souvent associées avec une:

diminution	augmentation
• phlébotomies	• leucémie
• anémies ferriprives	• lymphome
• érythropoïèse inefficace	• neuroblastome
	• cancer du sein
	• hémochromatose
	• transfusions sanguines

Valeurs de référence

Elles varient selon l'âge jusqu'à la puberté et selon l'âge et le sexe par la suite.

		U. convent. ng/ml	SI μg/L
nouveau-nés	:	210 - 280	210 - 280
3 mois	:	65 - 150	65 - 150
6 mois	:	25 - 65	25 - 65

9 mois	:	15 - 45	15 - 45
12-18 mois	:	20 - 40	20 - 40
Femmes			
14-19 ans	:	15 - 45	15 - 45
20-29 ans	:	20 - 55	20 - 55
30-39 ans	:	25 - 65	25 - 65
40-49 ans	:	30 - 80	30 - 80
50-59 ans	:	45 - 105	45 - 105
60-79 ans	:	55 - 140	55 - 140
Hommes			
14-19 ans	:	20 - 65	20 - 65
20-29 ans	:	50 - 105	50 - 105
30-39 ans	:	70 - 135	70 - 135
40-49 ans	:	80 - 160	80 - 160
50-59 ans	:	80 - 170	80 - 170
60-79 ans	:	80 - 200	80 - 200

Interférences méthodologiques

Aucune interférence n'est connue pour l'essai immuno-radiométrique (IRMA) ou radioimmunologique (RIA).

Fibrinogène

Origine

Le fibrinogène est une globuline plasmatique synthétisée par le foie. C'est le précurseur de la fibrine dans le processus de la coagulation. Une partie de la molécule de fibrinogène est scindée avec libération d'un peptide sous l'action de la thrombine. «In vitro», le fibrinogène soluble est transformé en fibrine insoluble formant un gel qui enrobe les globules rouges et libère le sérum. Il n'y a donc pas de fibrinogène dans le sérum.

Intérêt clinique

Conditions cliniques le plus souvent associées avec une:

diminution	augmentation
• hypofibrinogénémie congénitale	• fièvre rhumatismale
• hypofibrinogénémie acquise	• pneumonie
• hémorragie antépartale	• septicémie
• rétention d'un foetus mort	• tuberculose
• atteinte hépatique sévère	

Valeurs de référence

Les valeurs généralement acceptées sont de 200 - 400 mg/dl (2.0 - 4.0 g/L) de plasma.

Interférences méthodologiques

Aucune interférence n'est connue pour notre méthode qui consiste à isoler la fibrine, à la resolubiliser et à la doser en tant que protéine ou pour les méthodes immunologiques.

Gamma-glutamyltransférase

Origine

La γ-glutamyltransférase (GGT, γ-glutamyl-transpeptidase) est un enzyme qui catalyse le transfert d'un groupe γ-glutamyl d'un peptide à un autre accepteur. Le tissu rénal est le plus riche en GGT. Il semble toutefois que la GGT présente dans le sérum provienne du système hépatobiliaire.

Intérêt clinique

Conditions cliniques le plus souvent associées avec une augmentation de l'activité de la GGT:

- alcoolisme
- pathologies hépatobiliaires
  —choléstase intra- ou extra-hépatique
  —cholélithiase, cholécystite, angiocholite
  —métastases hépatiques
  —cancer primaire biliaire, hépatite
- pathologies extra-hépatiques
  —cancer du pancréas
  —pancréatite aiguë
  —diabète sucré avec hyperlipoprotéinémie
  —insuffisance cardiaque

Valeurs de référence

		U/L
enfants et adolescents	:	0 - 20
adultes	:	0 - 40
femmes en post-partum (1 à 4 jours)	:	0 - 40
nouveau-nés à 4 jours de vie	:	15 - 181

Interférences méthodologiques

Aucune interférence connue pour la méthode cinétique. L'hémolyse produit une diminution de la valeur sur le SMAC et le résultat doit être annulé. Un taux de 10 mg/dl de bilirubine n'influence pas le résultat obtenu sur le SMAC.

Gaz artériels

Origine

L'organisme absorbe l'oxygène au niveau des poumons. Dans le sang, l'oxygène circule sous deux formes: physiquement dissous dans le plasma et principalement lié à l'hémoglobine dans les globules rouges.

La PO_2 représente la mesure de l'oxygène physiquement dissous dans le plasma.

La PCO_2 est, par analogie avec la PO_2, la mesure de la quantité de CO_2 présent dans le plasma sous forme de H_2CO_3.

Intérêt clinique

Les gaz artériels reflètent l'état d'oxygénation des tissus. Ils reflètent aussi l'état de fonctionnement des poumons et du coeur. La PO_2 est abaissée dans l'obstruction pulmonaire, la stase circulatoire ou toute autre défaillance du système cardio-pulmonaire.

La PCO_2 est alors élevée. Ce dernier paramètre est abaissé dans toutes les pathologies accompagnées d'une acidose métabolique ainsi que dans les alcaloses respiratoires.

Valeurs de référence

		U. convent.	SI
		mm Hg	kPa
PO_2 artérielle	:	>80	>10.7
PCO_2 artérielle	:	33 - 47	4.4 - 6.3

Interférences méthodologiques

Les prélèvements doivent être effectués dans des conditions anaérobiques. La présence d'air dans la seringue entraîne une diminution de la PCO_2 alors que la PO_2 s'approche de 150 mm de Hg (diminution des valeurs hautes, augmentation des valeurs basses).

Plus d'un ml de sang doit être prélevé dans une seringue héparinée de 5 ml, sinon l'héparine présente le même effet que l'air sur les valeurs de la PCO_2 et de la PO_2.

La présence d'un caillot implique l'annulation de l'analyse.

Glucose

Origine

Le glucose constitue le principal glucide (sucre) du plasma. C'est le carrefour du métabolisme des glucides. La digestion transforme l'amidon et le glycogène de l'alimentation en monosaccharides (glucose, galactose, fructose). Ceux-ci sont absorbés au niveau de l'intestin et transportés au foie où le galactose et le fructose sont transformés en glucose. Un groupe d'hormones, dont l'insuline, maintiennent constant le taux sanguin du glucose dans les conditions normales.

Intérêt clinique

Conditions cliniques le plus souvent associées avec une:

diminution	augmentation
• surcharge en insuline ou sulfamidés hypoglycémiants	• diabète sucré
• hyponutrition; alcool	• acromégalie
• insulinome	• phéochromocytome
• hypopituitarisme	• pancréatite aiguë
• insuffisance surrénalienne aiguë ou chronique	• cancer du pancréas
• glycogénose de type I, III et IV	• infarctus du myocarde
• insuffisance hépatique grave	• brûlure; encéphalite
• hépatome	• intoxication au CO
• certaines tumeurs volumineuses	• corticothérapie

- intolérance héréditaire au fructose
- état de choc
- insuffisance rénale chronique post-prandiale
- coma hyperosmolaire
- glucagonome

Valeurs de référence

Elles varient selon la spécificité des méthodes utilisées. Elles sont à toute fin pratique identiques pour une méthode à l'hexokinase ou à la glucose oxydase. Nous rapportons ici celles obtenues pour la méthode à la glucose oxydase du SMAC.

	U. convent. mg/dl	SI mmol/L
hommes, femmes, enfants :	67 - 106	3.7 - 5.9
femmes en post-partum (1 à 4 jours) :	40 - 80	2.2 - 4.4
nouveau-nés à 4 jours de vie :	58 - 84	3.2 - 4.7

Interférences méthodologiques

Un niveau toxique d'acétaminophène va produire une fausse augmentation du glucose avec les méthodes à la néocuproïne ou au ferricyanure. Un niveau thérapeutique ne produira aucune variation significative.

Un sérum hémolysé produira une baisse réelle du glucose avant le dosage, baisse qui sera d'autant plus grande que l'hémolyse sera forte ou le temps de repos à la température ambiante avant l'analyse long.

L'hémolyse n'interfère pas si le prélèvement est fait en présence de fluorure (tube à bouchon gris):

cette substance inhibe l'action des enzymes libérés des globules rouges.

Le taux de glucose s'abaisse en fonction du temps de repos du prélèvement si le spécimen n'est pas centrifugé rapidement. Il diminue d'environ 5% dans la première heure tant dans le tube avec fluorure que dans un tube sans anticoagulant. Par la suite, le glucose est stable dans le tube avec fluorure alors qu'après trois heures, il s'abaisse d'environ 15% en moyenne dans l'autre tube.

β-HCG

Origine

L'hormone gonadotrophine chorionique est normalement sécrétée par le placenta au tout début de la gestation. C'est une glycoprotéine possédant une structure quaternaire constituée de deux sous-unités, α et β, liées par covalence. La sous-unité α est semblable à celle des autres hormones glycoprotéiniques (LH, FSH, TSH). Ceci a rendu son utilisation difficile pour diagnostiquer les grossesses à leur début ou suivre le traitement de patients atteints de certains cancers. Un test radioimmunologique basé sur un anticorps très spécifique à la sous-unité β permet maintenant de doser ce que l'on convient d'appeler le β-HCG (β-human chorionic gonadotropin).

Intérêt clinique

Conditions cliniques le plus souvent associées avec une:

hypersécrétion

- grossesse
- môle hydatiforme
- choriocarcinomes

Valeurs de référence

	U. convent. mIU/ml	SI IU/L
absence de grossesse	<25	<25
1 semaine après le début :	20 - 30	20 - 30

2 semaines après le début	:	30 - 100	30 - 100
3 semaines après le début	:	100 - 1 000	100 - 1 000
1er trimestre	:	10 000 - 160 000	10 000 - 160 000
2e trimestre	:	6 000 - 30 000	6 000 - 30 000
3e trimestre	:	400 - 15 000	400 - 15 000

Interférences méthodologiques

Tout échantillon contenant de la radioactivité doit être éliminé.

Il faut se rappeler que le plasma peut contenir des anticorps circulants naturels qui peuvent fausser tout dosage d'une hormone.

Selon les trousses RIA utilisées, la FSH et la LH peuvent interférer lors de la phase ovulatoire du cycle menstruel ou en post-ménopause.

Hémoglobine glycosylée

Origine

Chez l'homme sain, la répartition des différentes espèces d'hémoglobine comprend environ 90% d'HbA ou HbA_0, moins de 1% d'HbF ou hémoglobine foetale, moins de 3% d'HbA_2 et environ 5 à 8% d'HbA_1 ou hémoglobines glycosylées constituées elles-mêmes de 5 fractions (HbA_{1a} - HbA_{1b} ; HbA_{1d} ; HbA_{1e} ; HbA_{1c}). Cette dernière fraction représente à elle seule 4 à 6% de l'hémoglobine totale et résulte de la fixation d'une molécule de glucose sur les chaînes β de l'hémoglobine. La fréquence d'épisodes hyperglycémiques favorise la formation d'HbA_{1c}.

Intérêt clinique

La fraction de l'hémoglobine glycosylée des érythrocytes est un indicateur de la concentration moyenne du glucose en circulation durant les quatre à six semaines précédant la détermination. Ce dosage permet:

- la possibilité de diagnostiquer un diabète
- une meilleure adaptation de la thérapeutique à l'équilibre du diabétique
- la possibilité de se rendre compte de la mauvaise coopération du patient dans l'application de son régime, de son traitement
- la possibilité d'utiliser HbA_1 dans la surveillance des états prédiabétiques et du diabète de la grossesse.

La valeur de HbA_1 ne peut être faussée par les

hypoglycémiants et l'insuline administrés pendant une courte période avant la détermination.

Valeurs de référence

On exprime les résultats en pourcentage de l'hémoglobine totale. Les valeurs de référence varient selon les méthodes.

non diabétiques:	> 9%
intervention indiquée:	11%

Ce pourcentage s'élèvera selon que l'équilibre du diabète est bon, médiocre ou mauvais.

Interférences méthodologiques

Aucune interférence de rapportée pour la technique d'électrophorèse.

Hormone adrénocorticotrope

Origine

La fonction surrénalienne est contrôlée par l'hormone adrénocorticotrope (ACTH, corticotrophine) sécrétée par l'hypophyse. L'ACTH stimule à la fois la biosynthèse et la libération des corticostéroïdes.

Intérêt clinique

Conditions cliniques le plus souvent associées à une:

hyposécrétion	hypersécrétion
• insuffisance hypophysaire	• maladie de Cushing
	• maladie d'Addison • syndrome de Nelson • production ectopique (surtout dans le cancer du poumon)

Valeurs de référence

		U. convent.	SI
		pg/ml	pmol/L
adultes	:	0 - 160	0 - 35

Elles sont à interpréter en regard des niveaux sanguins de cortisol.

Interférences méthodologiques

Tout échantillon contenant de la radioactivité doit être éliminé.

Il faut se rappeler que le plasma peut contenir des anticorps circulants naturels qui peuvent fausser tout dosage d'une hormone.

L'ACTH s'adsorbe sur le verre, il est donc recommandé d'utiliser des seringues en matière plastique.

La β-MSH, une hormone qui stimule les mélanocytes, possède une structure analogue à l'ACTH. Elle est susceptible d'interférer selon la trousse de dosage utilisée.

Hormone de croissance

Origine

L'hormone de croissance ou GH sécrétée par l'hypophyse est de nature protéinique. Elle est nécessaire à la croissance des os et des autres tissus de l'organisme. Elle stimule la synthèse des protéines. Au niveau du muscle, elle antagonise l'effet de l'insuline sur le glucose. Elle favorise l'utilisation des lipides du tissu adipeux par son effet lipolytique. Elle augmente l'absorption intestinale du calcium. Elle augmente la réabsorption tubulaire du phosphore au niveau du rein et la filtration glomérulaire.

Intérêt clinique

Conditions cliniques le plus souvent associées avec une:

hyposécrétion	hypersécrétion
• insuffisance hypophysaire	• acromégalie
• nanisme	• gigantisme
	• diabète insulino-dépendant mal équilibré

Valeurs de référence

	U. convent. ng/ml	SI μg/L
hommes:	0 - 5	0 - 5
femmes :	0 - 10	0 - 10

Des valeurs plus élevées, allant jusqu'à 50 ng/ml (50 µg/L), peuvent être obtenues normalement chez les enfants de 1 à 12 ans.

Chez l'individu normal, l'hormone de croissance doit diminuer sous 5 ng/ml (5 µg/L) au cours de l'hyperglycémie provoquée.

Interférences méthodologiques

Tout échantillon contenant de la radioactivité doit être éliminé.

Il faut se rappeler que le plasma peut contenir des anticorps circulants naturels qui peuvent fausser tout dosage d'une hormone.

Selon la trousse RIA utilisée, on peut mesurer jusqu'à 5% de la prolactine plasmatique.

Hormone folliculo-stimulante

Origine

L'hormone folliculo-stimulante ou FSH fait partie du groupe des gonadotrophines. Elle est de nature protéinique et sécrétée par l'hypophyse. Elle permet, chez l'homme, la croissance du testicule et est nécessaire à la spermatogénèse. Elle stimule, chez la femme, l'activité du follicule de De Graaf qui produit des oestrogènes.

Intérêt clinique

Conditions cliniques le plus souvent associées avec une:

hyposécrétion	hypersécrétion
• insuffisance hypophysaire	• tumeur hypophysaire
• anorexie nerveuse	• puberté précoce
• grossesse	• ménopause
• anovulants	• insuffisance ovarienne
	• insuffisance testiculaire

Valeurs de référence

Elles varient selon le cycle menstruel.

		U. convent. mIU/ml	SI IU/L
femme			
phase folliculaire	:	5 - 20	5 - 20
phase ovulatoire	:	12 - 30	12 - 30
phase lutéale	:	5 - 15	5 - 15

post-ménopause	:	40 - 200	40 - 200
homme	:	5 - 25	5 - 25

Interférences méthodologiques

Tout échantillon contenant de la radioactivité doit être éliminé.

Il faut se rappeler que le plasma peut contenir des anticorps circulants naturels qui peuvent fausser tout dosage d'une hormone.

Selon la trousse RIA utilisée, la TSH, la LH, la FSH et l'HCG, qui ont une sous-unité α en commun, peuvent interférer.

Hormone lutéinisante

Origine

L'hormone lutéinisante ou LH fait partie du groupe des gonadotrophines sécrétées par l'hypophyse. Elle stimule chez la femme la maturation finale du follicule de De Graaf, l'ovulation et le développement du corps jaune. Elle stimule également la sécrétion d'oestrogènes et de progestérone.

Intérêt clinique

Conditions cliniques le plus souvent associées avec une:

hyposécrétion	hypersécrétion
• insuffisance hypophysaire	• tumeur hypophysaire
• anorexie nerveuse	• puberté précoce
• grossesse	• ménopause
• anovulants	• insuffisance ovarienne
• hyperprolactinémie	• insuffisance testiculaire

Valeurs de référence

Elle varient selon le cycle menstruel.

		U. convent. mIU/L	SI IU/L
femme:			
phase folliculaire	:	2 - 30	2 - 30
phase ovulatoire	:	40 - 200	40 - 200
phase lutéale	:	0 - 20	0 - 20
post-ménopause	:	35 - 120	35 - 120

homme	:	6 - 30	6 - 30
enfant	:	4 - 20	4 - 20

Interférences méthodologiques

Tout échantillon contenant de la radioactivité doit être éliminé.

Il faut se rappeler que le plasma peut contenir des anticorps circulants naturels qui peuvent fausser tout dosage d'une hormone.

Selon la trousse RIA utilisée, il est possible de mesurer jusqu'à 10 - 20% de l'HCG plasmatique. Il devient alors impossible de doser la LH durant la grossesse.

Hormone thyréotrope

Origine

L'hormone thyréotrope ou TSH est une glycoprotéine hypophysaire stimulant la thyroïde. Elle est constituée de deux sous-unités α et β, la sous-unité α étant identique à celle de la LH et de la FSH. La TSH augmente rapidement chacune des phases de la synthèse des hormones thyroïdiennes et leur libération dans le sang.

Intérêt clinique:

Conditions cliniques le plus souvent associées avec une:

hyposécrétion	hypersécrétion
• hyperthyroïdie • hypothyroïdie —secondaire —tertiaire	• hypothyroïdie primaire (myxoedème)

Valeurs de référence

		U. convent. μU/ml	SI mU/L
adultes	:	0 - 9	0 - 9

À interpréter en regard des résultats de T_3 et T_4.

Interférences méthodologiques

Tout échantillon contenant de la radioactivité

doit être éliminé.

Il faut se rappeler que le plasma peut contenir des anticorps circulants naturels qui peuvent fausser tout dosage d'une hormone.

Selon les trousses RIA utilisées, la FSH et la LH peuvent donner des résultats à la limite supérieure des valeurs de référence lors de la phase ovulatoire du cycle menstruel ou en post-ménopause. L'HCG peut aussi donner des résultats de TSH faussement élevés durant la grossesse.

Immunoglobulines

Origine

Il s'agit d'un groupe de protéines responsables de l'immunité humorale migrant surtout dans la zone des γ-globulines et partiellement dans la zone des β-globulines lors de l'électrophorèse du sérum. Elles sont synthétisées par les plasmocytes (β-lymphocytes). On distingue cinq classes: IgG, IgA, IgM, IgD et IgE.

Intérêt clinique

On peut classer les modifications de la concentration des immunoglobulines en trois catégories:

- les déficiences primaires et secondaires;
- les surproductions de type gammapathies monoclonales (myélomes) et polyclonales (infections chroniques, cirrhose de Laënnec, hépatite);
- les interactions entre immunoglobulines (cryoglobulinémies).

Valeurs de référence

La concentration varie en fonction de l'âge surtout chez les jeunes enfants. Chez les adultes:

		U. convent.	SI
		mg/dl	g/L
IgG	:	600 - 1 650	6.0 - 16.5
IgA	:	50 - 300	0.5 - 3.0
IgM	:	75 - 325	0.75 - 3.25
IgD	:	0.3 - 40	0 - 0.4
IgE	:	10 - 1 000ng/dl	0.1 - 10.0 μg/L

Interférences méthodologiques

Il existe des IgM anormales de faible masse moléculaire migrant rapidement lors de l'immunodiffusion radiale, d'où une surestimation de la concentration des IgM en présence de telles paraprotéines. La méthode par néphélémétrie n'est pas affectée par la masse moléculaire.

Insuline

Origine

L'insuline est une hormone de nature protéinique sécrétée par les cellules bêta des îlots de Langerhans du pancréas. C'est la première protéine dont la structure a été connue. Elle joue un rôle important dans le maintien d'un taux constant de glucose sanguin. Elle a aussi un rôle à jouer dans l'emmagasinage du glycogène dans le foie, dans la conversion des glucides en lipides et dans l'oxydation du glucose par les tissus périphériques.

Intérêt clinique

Conditions cliniques le plus souvent associées avec une:

hyposécrétion	hypersécrétion
• diabète mellitus (ou sucré)	• tumeur du pancréas (insulinome)

L'insuline injectée dans les cas de diabète provoque une baisse du taux de glucose sanguin. Si injectée en trop forte dose, elle peut provoquer une hypoglycémie sévère.

Valeurs de référence

0 - 20 μUI/ml (0-145 pmol/L) par la méthode radioimmunologique (à jeun).

Interférences méthodologiques

Une diminution est observée pour les essais radioimmunologiques si le plasma est hémolysé.

Tout échantillon contenant de la radioactivité doit être éliminé.

Il faut se rappeler que le plasma peut contenir des anticorps circulants naturels qui peuvent fausser tout dosage d'une hormone.

Iode protéique

Origine

L'iode circule dans le plasma sous deux formes: libre ou lié à deux hormones thyroïdiennes, T_3 et T_4. L'iode sous la forme de T_3 et T_4 est presqu'entièrement lié à des protéines qui servent de transporteur. Le lien qui lie ces hormones aux protéines est dissociable. On peut doser l'iode lié aux protéines (PBI pour Protein Bound Iodine) par des méthodes chimiques, ce qui revient, à toute fin pratique, à doser l'iode hormonal du sérum.

Intérêt clinique

Conditions cliniques le plus souvent associées avec une:

diminution	augmentation
• hypothyroïdie —crétinisme —myxoedème	• hyperthyroïdie • goître —simple —toxique —exophtalmique • thyroïdite • grossesse • anovulants

Valeurs de référence

	U. convent. μg/dl	SI mmol/L
adultes :	4 - 8	315 - 630

Interférences méthodologiques

L'ensemble des produits à base d'iode administrés en radiologie pour certains tests ou tout médicament à base d'iode peut influencer le dosage pendant plusieurs mois.

Lidocaïne

Origine

La lidocaïne (Xylocaïne) est un médicament utilisé dans le traitement d'arythmies ventriculaires associées à un infarctus aigu du myocarde ou à une chirurgie cardiaque.

Intérêt clinique

Des études cliniques démontrent une grande variation dans les taux sériques efficaces. Ces taux seraient généralement de 0.6 à 2 µg/ml, mais pour certains patients ils atteindraient 8 µg/ml. Toutefois, certains patients présentent des signes d'intoxication à un taux de 3 µg/ml. Il y a donc chevauchement important des taux thérapeutiques et toxiques. Les effets non désirés produits par un taux trop élevé de lidocaïne sont la somnolence, des étourdissements et de l'euphorie.

Valeurs de référence

		U. convent.	SI
		µg/ml	µmol/L
seuil thérapeutique	:	1.5 - 5	6 - 21
seuil toxique	:	>7	>30

Interférences méthodologiques

La méthode EMIT, qui est la plus utilisée, semble très spécifique. Une étude a démontré que la monoéthylglycinexylidide, la glycinexylidide et 36 autres médicaments d'usage courant n'interfèrent pas avec le dosage.

Lipase

Origine

La lipase présente normalement dans le sérum est un enzyme sécrété par le pancréas. Elle hydrolyse les triglycérides en acides gras et en glycérol. Plus spécifique que l'amylase dans le diagnostic d'une pancréatite aiguë, elle demeure élevée une plus longue période de temps dans le sérum.

Intérêt clinique

Conditions cliniques le plus souvent associées avec une augmentation:

- pancréatite aiguë
- pancréatite chronique
- obstruction du canal pancréatique

Valeurs de référence

Elles varient beaucoup selon les méthodes. La méthode sur l'ACA de Du Pont donne les valeurs suivantes: 4 - 24 U/dl.

Interférences méthodologiques

Il faut éviter de prélever le sang sur EDTA. Une concentration élevée d'hémoglobine cause une diminution de l'ordre de 10% de l'activité de l'enzyme.

Lithium

Origine

Normalement, on ne retrouve pas de lithium dans l'organisme. On l'administre sous forme de carbonate de lithium dans le traitement des psychoses maniaco-dépressives. Les seuils thérapeutique et toxique varient selon les individus. L'ion lithium traverse facilement les membranes cellulaires et est ainsi bien distribué dans les liquides extra- et intracellulaires.

Intérêt clinique

Les traitements par ce médicament doivent être suivis par des dosages sériques pour s'assurer de leur efficacité tout en évitant les intoxications. Le seuil de toxicité est très près du seuil thérapeutique.

Valeurs de référence

Il faut connaître les seuils thérapeutique et toxique généralement acceptés même si ceux-ci varient selon les individus.

		U. convent.	SI
		mEq/L	mmol/L
seuil thérapeutique	:	0.5 - 1.5	0.5 - 1.5
seuil toxique	:	>2.0	>2.0

Interférences méthodologiques

Aucune interférence n'est connue pour les méthodes de photométrie de flamme et d'absorption atomique.

Magnésium

Origine

Plus de la moitié du magnésium de l'organisme se trouve dans les os, associé au calcium et au phosphore dans des sels complexes. Le reste se trouve dans les tissus mous et les liquides de l'organisme. Le magnésium est, en quantité, le deuxième plus important cation des liquides intracellulaires après le potassium. Environ 70% du magnésium présent dans le sérum existe sous la forme diffusible; le reste est principalement lié à l'albumine. L'ion magnésium agit comme activateur dans un grand nombre de réactions enzymatiques.

Intérêt clinique

Conditions cliniques le plus souvent associées avec une:

diminution	augmentation
• tétanie de type magnésium	• déshydratation sévère
• syndrome de malabsorption	• acidose diabétique sévère
• pancréatite aiguë	• maladie d'Addison
• hypoparathyroïdie	• insuffisance rénale aiguë ou chronique
• alcoolisme chronique	
• delirium tremens	
• glomérulonéphrite chronique	
• aldostéronisme	
• intoxication à la digitale	

Valeurs de référence

Le magnésium ne varie que très peu en fonction de l'âge ou selon les méthodes de dosage.

	U. convent. mg/dl	SI mmol/L
enfants et adultes	1.9 - 2.7	0.78 - 1.11

Interférences méthodologiques

Aucune interférence n'est connue pour la méthode fluorimétrique avec dialyse. Il a été démontré que l'hémolyse et la bilirubine n'ont aucun effet comme cela se produit souvent pour d'autres méthodes fluorimétriques.

Mercure

Origine

On retrouve le mercure, métal lourd présent dans la nature, sous trois formes: mercure métallique qui forme des amalgames naturels avec les autres métaux comme l'étain, le zinc et le cuivre; composés minéraux du mercure et composés organiques (e.g. mercure-méthyle). Un grand nombre de composés organiques et minéraux du mercure résistent à la décomposition ce qui favorise leur bio-accumulation à chaque maillon de la chaîne alimentaire (larve d'insecte - vairon - brochet - phoque - Esquimau). Les concentrations de contaminants dans le tissu du prédateur sont plus élevées que celles des tissus de l'organisme mangé.

Intérêt clinique

Ce n'est que vers 1960 qu'on s'est rendu compte de la toxicité du mercure pour les populations accidentellement exposées. Au Japon, après 1950, la consommation des produits de la mer a causé une épidémie que l'on a nommée la maladie de Minamata. Cette maladie a entraîné la mort de 111 individus et frappé de diverses incapacités 800 autres personnes. En 1959, on en a identifié la cause: une contamination des fruits de mer de la baie de Minamata par le mercure-méthyle déversé dans la baie depuis 1932 par la société Chisso, un fabriquant de produits et d'engrais chimiques.

Le mercure-méthyle s'accumule dans des zones

limitées du cerveau, surtout dans le cervelet responsable de la fonction d'équilibre, et la scissure calcarine, aire sensorio-visuelle. Les symptômes de l'empoisonnement reflètent donc les dommages au système nerveux central: dérèglements des sensations, de la vue et de la coordination musculaire. Ces dommages sont irréversibles.

Concentration toxique

$\geqslant$0.1 μg/g sang
Signes neurologiques présents à partir de $\geqslant$ 0.02 μg/g

Interférences méthodologiques

Aucune interférence rapportée pour la méthode d'absorption atomique.

Méthanol

Origine

Le méthanol (alcool méthylique, alcool de bois, «methyl hydrate») est un solvant très utilisé dans les peintures, les vernis et les décapants. Il est utilisé tel quel comme antigel. C'est un poison violent. Les empoisonnements sont généralement dus à une ingestion accidentelle par les enfants, les alcooliques, voire les adultes qui se méprennent et le confondent avec l'éthanol. Le méthanol est métabolisé en formaldéhyde et en acide formique.

Intérêt clinique

Le méthanol est un produit très toxique: 10 ml peuvent entraîner la mort. Son dépistage est utile pour identifier une acidose métabolique provoquée par une diminution de la réserve alcaline suite à une accumulation d'acide formique.

Valeurs de référence

Il n'y a normalement pas de méthanol dans le sérum. Un niveau sanguin supérieur à 20 mg/dl (6.2 mmol/L) est généralement toxique alors qu'un niveau dépassant 80 mg/dl (25 mmol/L) peut entraîner la mort.

Interférences méthodologiques

Aucune interférence n'est connue pour la méthode de chromatographie en phase gazeuse. La formaldéhyde dérivant du méthanol et l'éthanol pouvant être présent dans l'échantillon interfèrent avec la méthode de diffusion de Conway.

Méthotrexate

Origine

Le méthotrexate est un médicament utilisé dans le traitement de plusieurs tumeurs solides et de maladies hématologiques malignes. Il peut être administré par voie orale, intramusculaire ou intraveineuse. Il inhibe la synthèse de l'ADN par inhibition compétitive de l'enzyme intracellulaire, la dihydrofolate réductase, laquelle a pour fonction de transformer l'acide folique en folates réduits. Ces derniers sont requis lors des réactions biochimiques de trans-méthylation nécessaires à la synthèse de l'ADN donc à la prolifération cellulaire.

Intérêt clinique

Le méthotrexate est largement utilisé dans le traitement des leucémies, des lymphomes autres que la maladie de Hodgkin, des ostéosarcomes, des cancers de la tête et du cou et certaines autres tumeurs solides

Selon le cancer traité, la dose variera de faible à extrêmement élevée. Dans ce dernier cas il devient impérieux de connaître la concentration sérique à cause des risques de toxicité. Ce médicament est en effet hépatotoxique. Il peut aussi être néphrotoxique et provoquer des nausées et des vomissements. Il peut affecter la moelle osseuse et provoquer une leucopénie, de l'anémie et de la thrombocytopénie.

Valeurs de référence

Concentrations sériques cytotoxiques minimums: $>$0.01 μmol/L (10^{-8}M)

Concentrations sériques potentiellement toxiques: $>$5 μmol/L (5×10^{-6}M), 24 heures après une dose élevée.

Interférences méthodologiques

Les méthodes de dosage du méthotrexate (EMIT, RIA, HPLC) semblent spécifiques. Deux métabolites, le 17-OHMTX et l'acide 4-diamino-N^{10}-méthyl-ptéroïque peuvent interférer quelque peu avec la méthode EMIT qui est la plus utilisée.

Le méthotrexate à une concentration de 10^{-4}M ne produit aucune interférence avec les paramètres du SMAC. Une concentration de 10^{-3}M est susceptible d'interférer avec les méthodes du SMAC utilisant une longueur d'onde de 340 à 415 nm. Cette interférence sur l'ALT, la LDH, la phosphatase alcaline et les triglycérides n'est toutefois pas significative d'un point de vue clinique. L'interférence observée dans ces conditions pour le phosphore inorganique mesuré à 340 nm est cliniquement significative et ce pour toutes les méthodes de dosage du phosphore utilisant cette longueur d'onde.

Mucoprotéines

Origine

Les mucoprotéines du sérum forment un groupe de protéines possédant un glucide complexe lié à la chaîne peptidique. Le terme séromucoïde est aussi utilisé.

Intérêt clinique

Conditions cliniques le plus souvent associées à une:

diminution	augmentation
• hépatite virale	• infections aiguës
• hépatite toxique	• arthrite rhumatoïde
• cirrhose	• tuberculose
• insuffisance adrénalienne	• carcinome
	• lymphosarcome

Valeurs de référence

Elles varient selon les méthodes.

		U. convent.	SI
		mg/dl	g/L
enfants et adultes	:	40 - 90	0.4 - 0.9

Interférences méthodologiques

Aucune interférence n'est connue pour notre méthode.

Oestradiol

Origine

L'oestradiol est une hormone de structure stéroïdienne qui fait partie du groupe des oestrogènes sécrétés par les ovaires. Elle est donc responsable chez la femme du développement des organes sexuels. C'est biologiquement le plus actif et le principal oestrogène sécrété par les ovaires. Chez la femme non gravide, l'oestradiol est transformé en oestriol.

Intérêt clinique

Conditions cliniques le plus souvent associées avec une:

hyposécrétion	hypersécrétion
• hypofonctionnement —ovarien —hypophysaire	• kyste • tumeur ovarienne • hyperplasie surrénalienne • tumeur surrénalienne • choriocarcinome

Valeurs de référence

Elles varient selon le cycle menstruel.

		U. convent. ng/dl	SI pmol/L
phase folliculaire	:	6 - 12	220 - 440
phase ovulatoire	:	30 - 50	1 100 - 1 835

phase lutéale	:	15 - 25	55 - 92
homme	:	2 - 5	7 - 18

Interférences méthodologiques

Tout échantillon contenant de la radioactivité doit être éliminé.

Il faut se rappeler que le plasma peut contenir des anticorps circulants naturels qui peuvent fausser tout dosage d'une hormone.

Selon la trousse de dosage utilisée, il peut y avoir une interférence de l'oestriol pendant la grossesse.

Oestriol

Origine

L'oestriol est une hormone de structure stéroïdienne qui fait partie du groupe des oestrogènes sécrétés par les ovaires et qui résulte aussi de la transformation par les tissus périphériques de l'oestradiol en oestriol. Chez la femme enceinte, le placenta synthétise l'oestriol et sa concentration augmente continuellement du début à la fin de la grossesse. C'est la principale hormone sécrétée par le placenta. On peut mesurer l'oestriol total ou l'oestriol non-conjugué.

Intérêt clinique

Conditions cliniques le plus souvent associées avec une:

hyposécrétion	hypersécrétion
• hypofonctionnement —ovarien —surrénalien —hypophysaire	• kyste
	• tumeur • hyperplasie surrénalienne • grossesse.

L'intérêt du dosage est principalement durant la grossesse: l'oestriol est un indicateur sensible de la condition de l'unité foeto-placentaire. Il est dosé dans le deuxième ou le troisième trimestre afin de déterminer la viabilité du foetus. Dans les grossesses à risques élevés chez les femmes souffrant de toxémie, d'hypertension ou de diabète sucré, un dosage sériel d'oestriol plasmatique peut permettre à l'obstétricien de décider du moment de l'accouchement. Il en est de même dans les cas de postmaturité où le foetus peut être en danger.

Valeurs de référence

Elles demeurent basses jusqu'à la 19e semaine de grossesse, soit environ 0 - 3 μg/dl (0 - 104 nmol/L). Elles s'élèvent progressivement par la suite:

	U. convent. μg/dl	SI nmol/L
10e semaine:	0.4 - 1.8	14 - 62
20e semaine:	1.6 - 3.8	55 - 132
30e semaine:	3.7 - 7.1	128 - 246
40e semaine:	6.9 - 17.3	259 - 600

Interférences méthodologiques

Tout échantillon contenant de la radioactivité doit être éliminé.

Il faut se rappeler que le plasma peut contenir des anticorps circulants naturels qui peuvent fausser tout dosage d'une hormone.

Si on mesure l'oestriol non-conjugué par une méthode directe, on peut obtenir des résultats jusqu'à 50% plus élevés que la mesure après extraction. Cela est dû au fait qu'on mesure 8% de l'oestriol-3-sulfate, 16% de l'oestriol-3-glucuronide et 16% de l'oestriol-16-glucuronide.

Or sérique

Origine

Un complexe d'or (aurothiomalate de sodium ou aurothiopolypeptide) est administré dans le traitement de l'arthrite rhumatoïde. Il a été démontré que l'or se fixe sur l'albumine sérique avant d'atteindre les cellules. Il reste dans l'organisme pendant un temps prolongé. On en retrouve dans l'urine plusieurs mois après l'arrêt du traitement.

Intérêt clinique

En vue d'une thérapie optimale, il faut que le niveau sérique de l'or soit d'au moins 300 - 500 μg/dl (15.2 - 25.5 μmol/L).

Des signes d'intolérance ou de toxicité apparaissent chez certains patients. Les effets mineurs sont: chute des cheveux, réaction cutanée, céphalées, diarrhées, coliques. Une toxicité plus importante peut mener à une hypoplaquettose, une neutropénie et même une aplasie médullaire. Une autre forme de toxicité peut entraîner une irritation du néphron et même un syndrome néphrotique.

Valeurs de référence

		U. convent.	SI
		μg/dl	μmol/L
seuil thérapeutique	:	300 - 500	15.2 - 25.5

Interférences méthodologiques

La technique généralement utilisée est l'absorption atomique et aucune interférence n'est connue pour cette méthode.

Phosphatase acide prostatique

Origine

Il existe plusieurs phosphatases acides dans l'organisme. Il s'agit d'un groupe d'enzymes qui agissent sur les mêmes substrats que les phosphatases alcalines mais à un pH inférieur à 7. Le foie, la rate, les globules rouges, les plaquettes, la moelle et la prostate en contiennent une quantité importante, la prostate étant la source la plus riche. Le pH optimum de la phosphatase acide prostatique est de 5. C'est la seule fraction qui ait un intérêt clinique. Il existe des méthodes qui permettent de ne mesurer que la fraction prostatique.

Intérêt clinique

Conditions cliniques le plus souvent associées avec une augmentation de l'activité:

- cancer de la prostate avec métastases (jusqu'à 150 fois la limite supérieure des valeurs de référence);
- manipulation de la prostate (légère augmentation).

Valeurs de référence

Elles varient selon les méthodes:

	U/L
hommes:	0 - 0.8
femmes :	0 - 0.1

Interférences méthodologiques

Le test doit être fait dans le plus bref délai possible car la phosphatase acide prostatique est rapidement inhibée à la température ambiante (25° C). Elle peut perdre 50% de son activité en 2 heures. Il est possible de préserver l'activité dans le sérum en lui ajoutant un tampon acétate à pH acide.

Le fluorure et l'oxalate sont des inhibiteurs de la réaction, c'est pourquoi il est préférable d'utiliser du sérum pour l'analyse.

Phosphatase alcaline

Origine

Les phosphatases alcalines sont des enzymes du groupe des hydrolases qui catalysent, à pH alcalin, l'hydrolyse de nombreux esters de phosphates organiques. On peut fractionner plusieurs isoenzymes d'origine osseuse, hépatique, vasculaire, intestinale, placentaire et dans certaines néoplasies, l'isoenzyme de Regan. Il y a donc intérêt, dans certains cas, d'identifier les isoenzymes de la phosphatase alcaline pour préciser une pathologie si les autres tests ne le permettent pas. En laboratoire, les substrats et la température d'incubation varient selon les méthodes utilisées, c'est pourquoi les valeurs de référence diffèrent d'une méthode à l'autre.

Intérêt clinique

Conditions cliniques le plus souvent associées avec une:

diminution	augmentation
• hypophosphatasie	• croissance, grossesse, rétention placentaire
• hypoparathyroïdie	• hyperparathyroïdie
• anémie pernicieuse	• tumeurs, Paget, ostéomalacie
	• rachitisme
	• choléstase, atteintes hépatiques
	• hyperthyroïdie

Valeurs de référence

Elles varient considérablement en fonction de l'âge et légèrement en fonction du sexe (voir figure). Chez les enfants et les adolescents, il est important de diviser les valeurs de référence en plusieurs groupes. Chez la femme enceinte, la phosphatase alcaline est élevée dans le dernier trimestre et elle est alors d'origine placentaire.

		U/L
nouveau-nés à 4 jours de vie	:	86 - 238
enfants 1 à 7 ans	:	100 - 300
adolescents:		
—filles: 8 à 15 ans	:	100 - 350
16 - 17 ans	:	25 - 120
18 - 19 ans	:	20 - 90
—garçons: 8 à 15 ans	:	100 - 400
16 - 17 ans	:	35 - 200
18 - 19 ans	:	30 - 130
adultes:		
—femmes (pré-ménopause)	:	25 - 85
post-partum (1 à 4 jours)	:	58 - 195
—femmes (post-ménopause) et hommes	:	30 - 115

Interférences méthodologiques

La théophylline (aminophylline) à un niveau toxique de 100 μg/ml diminue de 5 - 25% l'activité de la phosphatase alcaline selon la méthode utilisée. Cette inhibition n'est toutefois pas linéaire et elle est négligeable pour tout niveau thérapeutique, c'est-à-dire moins de 20 μg/ml. De toutes les méthodes étudiées, celle du SMAC est la plus sensible à cette inhibition.

Certaines substances comme la cystéine (métabolite de la N-acétylcystéine, antidote administré lors d'une intoxication à l'acétaminophène), et la D-pénicillamine (*ββ*-diméthyl-cystéine), prescrite dans les cas de maladie de Wilson et d'arthrite rhumatoïde, diminuent l'activité de la phosphatase alcaline en chélatant l'ion activateur (Mg^{++} ou Zn^{++}). Cette interférence varie selon la méthode utilisée.

Le naproxène, l'ibuprofène et la nitrofurantoïne, à une concentration supérieure à leur seuil thérapeutique, augmentent faussement l'activité mesurée sur le SMAC, mais n'interfèrent pas avec les méthodes cinétiques.

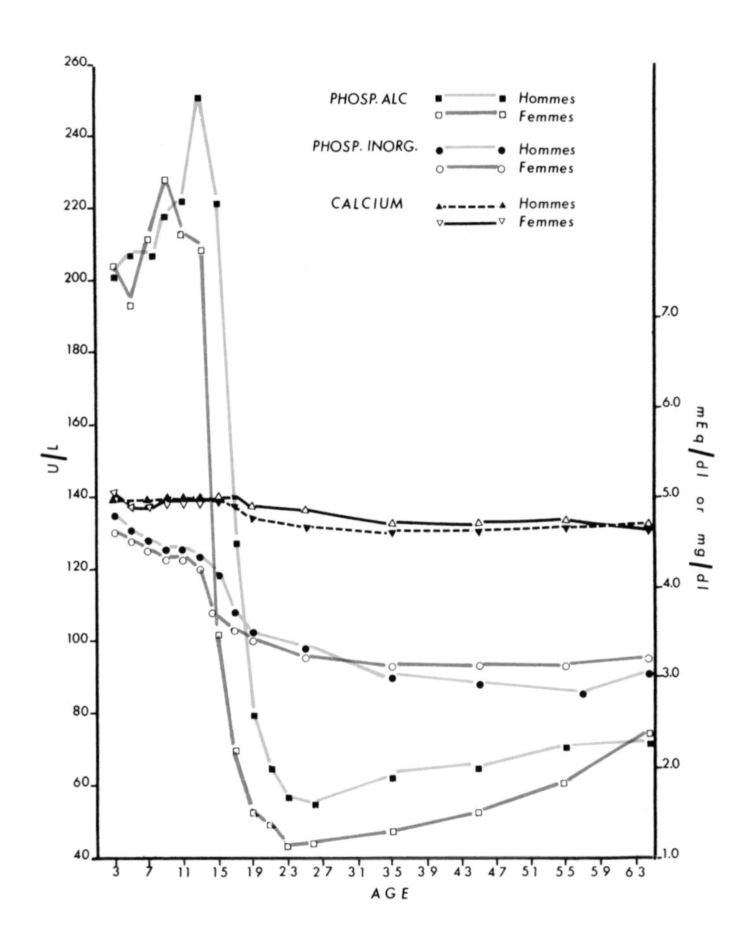

PHOSP. ALC
Hommes
Femmes
PHOSP. INORG.
Hommes
Femmes
CALCIUM
Hommes
Femmes
U/L
mEq/dl or mg/dl
AGE
260
240
220
200
180
160
140
120
100
80
60
40
7.0
6.0
5.0
4.0
3.0
2.0
1.0
3
7
11
15
19
23
27
31
35
39
43
47
51
55
59
63

Phosphore inorganique

Origine

Les os renferment une forte proportion du phosphore de l'organisme, environ 80%, sous une forme complexée avec le calcium. Une autre partie, sous forme de phosphate organique, joue un rôle important dans le métabolisme intermédiaire. Les phospholipides, les nucléotides et les acides nucléiques contiennent également du phosphore. Le phosphate inorganique contribue au pouvoir tampon des liquides intracellulaires. Dans le sérum, on dose le phosphate libre.

Intérêt clinique

Conditions cliniques le plus souvent associées avec une:

diminution	augmentation
• ostéomalacie, rachitisme	• insuffisance rénale aiguë ou chronique
• hyperparathyroïdie primaire ou tertiaire	• hypoparathyroïdie
• «PTH-like» (néoplasie)	• pseudo-hypoparathyroïdie
• médicaments lieurs de phosphate	• acromégalie
• acidocétose diabétique	• intoxication à la vitamine D

Valeurs de référence

Elles varient considérablement en fonction de l'âge (voir figure de la phosphatase alcaline):

			U. convent. mg/dl	SI mmol/L
nouveau-nés à 4 jours de vie		:	4.6 - 9.2	1.5 - 3.0
enfants:	1 à 5 ans	:	3.5 - 6.0	1.1 - 1.9
	6 à 9 ans	:	3.5 - 5.5	1.1 - 1.8
	10 à 15 ans	:	3.0 - 5.0	1.0 - 1.6
adolescents:	16 - 17 ans	:	2.5 - 5.0	0.8 - 1.6
	18 - 19 ans	:	2.3 - 4.3	0.7 - 1.4
adultes		:	2.1 - 4.1	0.7 - 1.3

Interférences méthodologiques

À une concentration supérieure à leur seuil thérapeutique, la méthicilline et le méthotrexate augmentent faussement le phosphore mesuré par les méthodes à 340 nm (SMAC, ACA, etc.).

Plomb

Origine

En général, le plomb présent dans le sang provient d'une contamination industrielle. Les enfants sont particulièrement sensibles à l'empoisonnement au plomb, surtout dans les milieux défavorisés où l'on utilise des peintures à base de plomb. Un individu peut être intoxiqué accidentellement s'il reçoit du plomb provenant d'une décharge de fusil. Une encéphalopathie peut résulter d'une intoxication au plomb et s'il y a survie on observe souvent un dommage permanent du système nerveux central.

Intérêt clinique

Pour diagnostiquer une intoxication au plomb et en suivre la thérapie, un dosage de cet élément peut être fait dans le sang et l'urine.

Valeurs de référence

			U. convent. µg/dl	SI µmol/L
Sang:	adultes	:	0 - 80	0 - 3.9
	enfants	:	0 - 20	0 - 1.0

Interférences méthodologiques

Aucune interférence connue pour le dosage du plomb par la méthode d'absorption atomique.

Potassium

Origine

Le potassium est le principal cation des liquides intracellulaires. La concentration en potassium dans ces liquides est environ 20 fois plus grande que dans le sérum. Dans les conditions normales, la quantité ingérée correspond à la quantité excrétée. La majeure partie est excrétée par les reins.

Intérêt clinique

Conditions cliniques le plus souvent associées avec une:

diminution	augmentation
• vomissements et succion gastrique	• insuffisance rénale aiguë ou chronique
• diarrhée et lavements	• diurétiques distaux
• urétéro-sigmoïdostomie et vessie iléale	• acidose, alcalose respiratoire
• diurétiques	• insuffisance surrénalienne
• hyperaldostéronisme primaire et secondaire	• destruction cellulaire
• glucocorticoïde	• hémolyse
• alcalose métabolique	• hyperplaquettose
• malnutrition	
• cirrhose	
• hyperinsulinémie	

Valeurs de référence

Elles ne varient que très peu en fonction de l'âge et du sexe:

	U. convent. mEq/L	SI mmol/L
nouveau-nés et bébés :	4.0 - 6.0	4.0 - 6.0
enfants et adultes :	3.9 - 5.2	3.9 - 5.2
mères à terme :	3.1 - 5.1	3.1 - 5.1

Interférences méthodologiques

Les globules rouges étant 20 fois plus riches en potassium que le sérum, une hémolyse augmentera le niveau sérique.

—Un sérum légèrement hémolysé, sérum teinté rose pâle, verra son potassium augmenté de 0.1 - 0.2 mEq/L.

—Un sérum modérément hémolysé, sérum d'un rouge pâle, verra son potassium augmenté de 0.5 - 1.0 mEq/L.

—Un sérum fortement hémolysé, d'une couleur rouge bourgogne, verra son potassium augmenté de plus de 1 mEq/L.

Procaïnamide

Origine

La procaïnamide (Pronestyl) est un médicament antiarythmique extrêmement puissant. Son utilisation à long terme par voie orale est très limitée vu sa courte demi-vie, ce qui implique des doses à toutes les trois ou quatre heures. Son activité électrophysiologique le classe dans le même groupe d'antiarythmiques que la quinidine et la disopyramide.

Intérêt clinique

La concentration sérique thérapeutique de la procaïnamide varie à l'intérieur de limites étroites. La distribution de la procaïnamide varie beaucoup d'un patient à l'autre et la dose requise pour maintenir une concentration thérapeutique n'est pas prévisible. De plus, son métabolite actif, la N-acétylprocaïnamide (NAPA), atteint souvent une concentration sérique supérieure à celle de la procaïnamide à l'état d'équilibre. Des valeurs trop élevées peuvent provoquer une bradycardie, une hypotension artérielle et de l'arythmie. D'autres effets secondaires comme des nausées, des vomissements et de la transpiration peuvent être observés.

Valeurs de référence

	U. convent.	SI
	μg/ml	μmol/L
seuils thérapeutiques		
procaïnamide :	4 - 10	15 - 37
procaïnamide + NAPA :	5 - 30	19 - 111

seuils toxiques

procaïnamide :	>10	>37
procaïnamide +NAPA:	> 30	>111

Interférences méthodologiques

Aucune interférence n'est connue pour la méthode EMIT qui permet de mesurer la procaïnamide et le NAPA.

Progestérone

Origine

La progestérone est une hormone sexuelle chez la femme. Elle est sécrétée par le corps jaune durant la phase lutéale du cycle menstruel. Durant la grossesse, le placenta devient la principale source de cette hormone. La progestérone est un précurseur obligatoire dans la synthèse des corticostéroïdes et des androgènes.

Intérêt clinique

Le dosage de la progestérone sera prescrit pour vérifier s'il y a ovulation et si la durée du corps jaune est normale (13 à 15 jours). En l'absence d'une ovulation, il n'y aura pas de hausse. Une augmentation anormale a été observée dans diverses anomalies du cycle menstruel.

Valeurs de référence

		U. convent.	SI
		ng/ml	nmol/L
femme:			
—phase folliculaire	:	<2	<6.4
—phase lutéale	:	5 - 20	16 - 65
homme	:	0.1 - 0.6	0.3 - 1.9

Il y a de grandes variations entre les individus et d'un jour à l'autre chez un même individu. Des dosages répétés sont essentiels pour une interprétation correcte des résultats.

Interférences méthodologiques

Tout échantillon contenant de la radioactivité doit être éliminé.

Il faut se rappeler que le plasma peut contenir des anticorps circulants naturels qui peuvent fausser tout dosage d'une hormone.

Aucune autre interférence n'est connue pour la méthode de liaison protéinique compétitive.

Prolactine

Origine

La prolactine est une hormone de nature protéinique sécrétée par l'hypophyse. Son rôle physiologique consiste à stimuler la glande mammaire et la production du lait. En post-partum, chez la femme qui allaite, la prolactine induit une période d'infertilité variable.

Intérêt clinique

Une hypersécrétion de prolactine est principalement observée dans les cas d'adénome hypophysaire produisant un syndrome aménorrhée - galactorrhée - infertilité. La prolactine augmente normalement durant la grossesse. On observe aussi une augmentation suite à l'administration de certains médicaments, surtout ceux à activité psychotrope et dans certains cas d'hypothyroïdie primaire.

Chez l'homme, l'hypersécrétion de prolactine par un adénome hypophysaire induit une diminution de l'appétit sexuel et de la puissance.

Valeurs de référence

	U. convent. ng/ml	SI µg/L
adultes :	0 - 20	0 - 20
grossesse (3e trimestre) :	200 - 500	200 - 500
post-partum (1 à 4 jours):	0 - 50	0 - 50

Interférences méthodologiques

Tout échantillon contenant de la radioactivité doit être éliminé.

Il faut se rappeler que le plasma peut contenir des anticorps circulants naturels qui peuvent fausser tout dosage d'une hormone.

Aucune autre interférence n'est connue pour la méthode radioimmunologique.

Protéines totales

Origine

Le sérum humain renferme une centaine de protéines jouant des rôles divers (transport, nutritif, facteur de coagulation, constituant du complément, enzymatique, inhibiteur d'enzymes, immunologique, maintien de la pression osmotique). Elles sont toutes synthétisées par l'organisme: le foie fabrique l'albumine, qui représente de 50 à 70% des protéines totales, ainsi que la plupart des α et β-globulines alors que les anticorps (immunoglobulines, γ-globulines) sont synthétisés par les plasmocytes.

Intérêt clinique

Conditions cliniques le plus souvent associées avec une:

diminution	augmentation
• syndrome néphrotique	• myélome multiple
• malnutrition	• macroglobulinémie de Waldenström
• malabsorption	• déshydratation
• insuffisance hépatique	
• entéropathie exsudative	
• brûlures	

Valeurs de référence

La concentration en protéines sériques varie peu en fonction de l'âge ou du sexe; pour le SMAC, nous utilisons:

	U. convent. g/dl	SI g/L
enfants de 1 à 5 ans :	5.8 - 7.8	58 - 78
enfants de 6 ans et plus et adolescents :	6.1 - 8.1	61 - 81
adultes :	6.0 - 7.8	60 - 78
femmes en post-partum (1 à 4 jours) :	4.8 - 6.6	48 - 66
nouveau-nés à 4 jours de vie :	5.0 - 6.6	50 - 66

Interférences méthodologiques

Un sérum hémolysé aura une concentration en protéines faussement augmentée, même en incluant un témoin, à cause de la présence de l'hémoglobine.

Si un plasma est substitué au sérum, la présence du fibrinogène augmentera la concentration d'au moins 0.2 - 0.4 g/dl (2 - 4 g/L).

Deux antibiotiques, la carbénicilline et la pipéracilline, peuvent interférer avec le dosage des protéines si leur concentration sérique dépasse 100 mg/dl car ils réagissent avec les ions cuivre en milieu alcalin (réaction du biuret). La méthicilline, la pénicilline G, la phénéthicilline, l'oxacilline et la dicloxacilline n'interfèrent pas même à une concentration de 300 mg/dl.

Quinidine

Origine

La quinidine est un médicament administré pour le traitement de certaines maladies cardiaques (fibrillations, arythmies).

Intérêt clinique

Si la quinidine sert au traitement de maladies cardiaques, une dose trop forte entraîne toutefois une intoxication qui fait réapparaître les mêmes problèmes cardiaques. On peut observer aussi des nausées, des vomissements, de l'anorexie ou de la diarrhée. Le dosage sérique est utilisé pour ajuster la posologie et éviter la toxicité.

Valeurs de référence

		U. convent.	SI
		μg/ml	μmol/L
seuil thérapeutique	:	2.0 - 5.0	6 - 15
seuil toxique	:	>5	>15

Interférences méthodologiques

Le triamtérène (Dyrénium), le furosémide (Lasix) et plusieurs autres médicaments fluorescents réagissent comme la quinidine avec la méthode fluorimétrique.

Aucune interférence n'est signalée pour la méthode utilisant la chromatographie en phase gazeuse ainsi que pour la méthode EMIT.

Salicylates

Origine

Les salicylates sont normalement absents de l'organisme. On les retrouve chez les gens traités à l'acide salicylique ou à l'aspirine (acide acétylsalicylique). L'aspirine est disponible sans prescription et est reconnue pour ses effets analgésiques. Elle est utilisée à forte dose pour le soulagement de l'arthrite.

Intérêt clinique

Le dosage des salicylates dans le sérum est utilisé pour déceler des états d'intoxication consécutifs à des traitements ou à la suite de tentative de suicide ou d'ingestion accidentelle. Les salicylates se retrouvent dans plusieurs préparations pharmaceutiques (222, 292, sirops) et un test positif peut aider à identifier la préparation pharmaceutique responsable de l'intoxication.

Valeurs de référence

		U. convent. mg/dl	SI mmol/L
seuil toxique			
enfants	:	20	1.5
adultes	:	30	2.2

Interférences méthodologiques

Les phénothiazines peuvent, dans certains cas, donner un faux positif au test des salicylates évalués par une méthode colorimétrique.

Sodium

Origine

Le sodium est le principal cation des liquides extracellulaires (plasma et liquide interstitiel). Il joue un rôle important dans la distribution normale de l'eau et la pression osmotique des divers liquides de l'organisme. Dans les conditions normales, la quantité ingérée correspond à la quantité excrétée. La majeure partie est excrétée par les reins.

Intérêt clinique

Conditions cliniques le plus souvent associées avec une:

diminution	augmentation
• diurétiques	• ingestion insuffisante d'eau
• insuffisance surrénalienne	• diabète insipide
• insuffisance cardiaque	• diurèse osmotique
• insuffisance hépatique	• dialyse hypertonique
• SIADH*	• hyperaldostéronisme primaire
• chlorpropamide; oxytocine	• déshydratation sévère
• acidose métabolique (diabète)	• coma hyperosmolaire
• diarrhée chronique	• acidose diabétique après thérapie à l'insuline
• vomissements	

* Sécrétion inadéquate d'hormone antidiurétique.

Valeurs de référence

Elles ne varient que très peu en fonction de l'âge et du sexe:

		U. convent. mEq/L	SI mmol/L
enfants et adultes	:	136 - 146	136 - 146
mères à terme	:	132 - 144	132 - 144

Interférences méthodologiques

Une concentration élevée de triglycérides ou de protéines totales va conduire à une mesure trop faible du sodium pour toutes les méthodes où le sérum est dilué avant l'analyse.

Théophylline

Origine

La théophylline (aminophylline) est un médicament qui agit comme vasodilatateur. Il est administré dans les cas d'asthme, de bronchite et de maladie pulmonaire. Son absorption et sa tolérance varient énormément d'un individu à l'autre. Elle se retrouve en faible quantité dans le thé. Elle provient également, en faible proportion toutefois, du métabolisme de la caféine.

Intérêt clinique

L'administration de ce médicament doit s'accompagner de dosages sériques pour ajuster la posologie afin d'éviter les intoxications, le seuil de toxicité étant voisin du seuil thérapeutique. Les effets non désirés observés à des taux de 20 à 35 μg/ml sont des nausées, de l'insomnie, de la nervosité et des migraines. Des concentrations supérieures à 35 μg/ml peuvent provoquer des arythmies cardiaques, le coma et même la mort.

Valeurs de référence

Normalement, on ne retrouve pas de théophylline dans le sérum.

Il faut plutôt surveiller les seuils thérapeutiques et toxiques qui varient selon les individus.

		U. convent. μg/ml	SI μmol/L
seuil thérapeutique	:	10 - 20	56 - 112
seuil toxique	:	>20	>112

Interférences méthodologiques

Aucune interférence n'est rapportée pour la méthode par chromatographie en phase gazeuse ou la méthode EMIT.

La présence de théophylline dans le sérum produit une baisse d'activité de la phosphatase alcaline lorsqu'elle est mesurée par certaines méthodes dont celle du SMAC. Cette diminution d'activité, qui peut atteindre 5 - 25% pour une concentration toxique de 100 μg/ml, est due à une inhibition de l'enzyme par la théophylline.

Thyroxine

Origine

La thyroxine ou T_4 (tétraiodothyronine) est une hormone sécrétée par la thyroïde. Cette sécrétion est contrôlée par une autre hormone, la TSH (hormone thyréotrope) qui provient de l'hypophyse et qui stimule toutes les étapes de la synthèse de T_4. Son rôle est d'activer le métabolisme principalement en augmentant le taux de consommation d'oxygène et la production de chaleur dans tous les tissus.

Intérêt clinique

Conditions cliniques le plus souvent associées avec une:

hyposécrétion	hypersécrétion
• hypothyroïdie —primaire —secondaire	• hyperthyroïdie • thyroïdite • grossesse

Valeurs de référence

Les valeurs de référence varient selon les méthodes, elles sont de l'ordre de:

		U. convent.	SI nmol/L
T_4 libre	:	1.5 - 4.0 ng/dl	0.02 - 0.05
T_4 totale	:	4.5 - 13.0 μg/dl	58 - 67

Interférences méthodologiques

Tout échantillon contenant de la radioactivité doit être éliminé.

Il faut se rappeler que le plasma peut contenir des anticorps circulants naturels qui peuvent fausser tout dosage d'une hormone.

Aucune autre interférence connue pour la méthode radioimmunologique.

Transferrine

Origine

La transferrine est une glycoprotéine de mobilité bêta-1 qui possède une masse moléculaire voisine de 80 000. Chaque molécule fixe deux atomes de fer (ion ferrique). Elle est synthétisée au niveau du foie. Elle permet le transport du fer du site d'absorption (intestin grêle) vers les différents sites d'entreposage (foie) ou d'utilisation (moelle osseuse). Normalement la transferrine est au tiers saturée par le fer.

Intérêt clinique

On peut mesurer la transferrine par des méthodes immunologiques ou chimiques, l'approche chimique étant la TIBC (Total Iron Binding Capacity; voir capacité de combinaison du fer).

Conditions cliniques le plus souvent associées avec une:

diminution	augmentation
• insuffisance hépatocellulaire; malnutrition	• anémie ferriprive
• syndrome néphrotique; insuffisance rénale	• carence en fer
• anémies hypersidérémiques	• dernier trimestre de la grossesse
• états inflammatoires chroniques	• prise de contraceptifs oraux
• hémochromatose; hémosidérose	

Valeurs de référence

	U. convent. mg/dl	SI g/L
adultes	200 - 350	2.0 - 3.5

Interférences méthodologiques

Aucune interférence n'est connue pour la méthode d'immunodiffusion radiale.

La ferritine présente en grandes quantités dans certaines pathologies (hémosidérose, hémochromatose, leucémie, maladie de Hodgkin) interfère avec la mesure de la TIBC mais pas avec le dosage immunologique de la transferrine.

Triglycérides

Origine

Les triglycérides représentent la classe principale des lipides du sérum. Ils proviennent des acides gras de l'alimentation qui forment des esters avec le glycérol. Ils sont transportés dans le sérum liés à des protéines pour former les lipoprotéines. Si la concentration en triglycérides excède celle des protéines pouvant les lier, le sérum sera lactescent. Un résultat élevé obtenu après 5 heures de jeûne est valable mais avant de conclure à une hyperlipoprotéinémie, il est préférable de le contrôler après un jeûne de 12 heures.

Intérêt clinique

Conditions cliniques le plus souvent associées avec une:

diminution	augmentation
• malnutrition • a β -lipoprotéinémie.	• hyperlipoprotéinémies types I, II b, IV et V. —primaire: héréditaire —secondaire: -diabète sucré -néphrose -obstruction biliaire -hépatite virale -pancréatite -goutte

Valeurs de référence

Il est très difficile de parler de valeurs de référence pour les triglycérides. Ceux-ci augmentent de façon importante en fonction de l'âge à partir de 20 ans pour les hommes et après la ménopause pour les femmes, est-ce un phénomène normal (voir figure du cholestérol)?

		U. convent. mg/dl	SI mmol/L
enfants de 1 à 11ans	:	30 - 125	0.3 - 1.4
enfants de 12 à 19 ans	:	30 - 150	0.3 - 1.7
femmes 20 à 39 ans	:	35 - 150	0.4 - 1.7
femmes + de 39 ans	:	35 - 175	0.4 - 2.0
hommes	:	35 - 175	0.4 - 2.0
femmes en post-partum (1 à 4 jours)	:	75 - 350	0.8 - 4.0
nouveau-nés à 4 jours de vie	:	32 - 236	0.4 - 2.7

Interférences méthodologiques

Aucune interférence n'est connue pour la méthode enzymatique du SMAC.

Triiodothyronine

Origine

La triiodothyronine ou T_3 est une hormone sécrétée par la thyroïde mais qui provient principalement de la transformation périphérique de T_4 en T_3. Elle est plus active que la T_4 et son action se fait sentir plus rapidement. La sécrétion de T_3 est contrôlée par l'hormone thyréotrope (TSH) provenant de l'hypophyse. Son rôle est analogue à celui de la T_4: elle stimule le métabolisme principalement en augmentant le taux de consommation d'oxygène et la production de chaleur dans tous les tissus.

Intérêt clinique

Conditions cliniques le plus souvent associées avec une:

hyposécrétion	hypersécrétion
• hypothyroïdie —primaire —secondaire	• hyperthyroïdie
• maladies graves (e.g. cirrhose, syndrome néphrotique, cancer etc).	• thyroïdite
	• grossesse

Valeurs de référence

		U. convent. ng/dl	SI nmol/L
T_3 libre	:	0.3 - 1.0	0.004 - 0.015
T_3 totale	:	75 - 225	1.1 - 3.5

Interférences méthodologiques

Tout échantillon contenant de la radioactivité doit être éliminé.

Il faut se rappeler que le plasma peut contenir des anticorps circulants naturels qui peuvent fausser tout dosage d'une hormone.

Aucune autre interférence connue pour la méthode radioimmunologique.

Urée

Origine

L'urée est synthétisée au niveau du foie à partir de CO_2 et d'ammoniac provenant de la désamination des acides aminés. C'est la principale voie d'élimination des surplus d'azote de l'organisme. Les résultats d'urée sont souvent exprimés sous la forme d'azote de l'urée, d'où l'expression BUN (Blood Urea Nitrogen).

Intérêt clinique

Conditions cliniques le plus souvent associées avec une:

diminution

- insuffisance hépatique sévère
- ingestion insuffisante de protides (malnutrition)
- SIADH*
- réhydratation trop poussée

augmentation

- insuffisance rénale aiguë ou chronique
- hémorragies digestives
- corticothérapie
- contraction du volume extracellulaire
- aspergillose
- ingestion excessive de protides
- décompensation cardiaque

* Sécrétion inadéquate d'hormone antidiurétique.

Valeurs de référence

Elles varient très légèrement selon les groupes:

	U. convent. mg/dl		SI mmol/L
	N urée	urée	urée
hommes :	7 - 22	15 - 47	2.5 - 7.8
femmes :	6 - 20	13 - 43	2.1 - 7.1
enfants :	6 - 20	13 - 43	2.1 - 7.1
nouveau-nés à 4 jours de vie :	1 - 11	2 - 24	0.3 - 4.0
femmes en post-partum 1-4 jours :	5 - 17	11 - 36	1.8 - 6.0

Interférences méthodologiques

Aucune interférence connue pour les méthodes utilisant le diacétylmonoxime. Une concentration thérapeutique de p-NH_2-salicylate augmente faussement le résultat obtenu par une méthode à l'orthophtaldéhyde.

Vitamine A

Origine

La vitamine A (rétinol) présente dans le sérum provient de source exogène. Son précurseur, le β-carotène (voir carotène), provient de l'alimentation. Tous les légumes et les fruits jaunes ainsi que les légumes à feuilles vertes fournissent le β-carotène. Ce dernier est transformé en vitamine A au niveau du foie. La vitamine A, plus facilement absorbable que son précurseur, est présente dans le lait, la graisse et le foie animal.

Intérêt clinique

Une diminution du taux sérique peut entraîner la cécité. En effet un manque sévère mène à une kératinisation (sécheresse) de la cornée (kératomalacie, xérophtalmie).

Une augmentation excessive du taux sérique, valeur supérieure à 150 μg/dl, produit des signes de toxicité: perte des cheveux, malaise aux articulations, somnolence, migraines, vomissements, douleurs abdominales, sueurs excessives, ongles cassants.

Les anovulants produisent une augmentation du taux sérique.

Valeurs de référence

		U. convent.	SI
		μg/dl	μmol/L
adultes	:	30 - 65	1.0 - 2.3
nouveau-nés	:	20 - 65	0.7 - 2.3

Interférences méthodologiques

Il est important que le patient soit à jeun et que le sérum ne soit pas hémolysé. Il faut aussi éviter de laisser le prélèvement à la lumière solaire directe qui oxyde la vitamine A.

BIBLIOGRAPHIE

Origine et intérêt clinique

TIETZ N W (Ed). *Fundamentals of clinical chemistry.* Saunders. Philadelphie. 1976.

HARPER H A. *Précis de biochimie.* Presses de l'Université Laval. Québec, 1977.

HARRISON'S Principles of Internal Medicine. Mc Graw-Hill. New York. 1977.

DAIGNEAULT R, LETELLIER G, MIRON M, GOUGOUX A, COULTER W et OSENDA D. *Aide de l'ordinateur à l'utilisateur des résultats du SMAC, du SMA 12/60 et du SMA 6/60;* Organisation des laboratoires. Biologie prospective. IIIe Colloque de Pont-à-Mousson. L'Expansion Scientifique Française (Ed), pp. 855-860 (1975).

FRIEDMAN R B , ANDERSON R E , ENTINE S M , et HIRSHBERG S B. *Effects of diseases on clinical laboratory tests.* Clin. Chem. 26, lD-476D (1980).

Valeurs de référence

LETELLIER G, DAIGNEAULT R, GAGNÉ M, MÉTRAS C et BEAULIEU S. *Évaluation d'un système SMAC.* Organisation des laboratoires, Biologie prospective. IIIe Colloque de Pont-à-Mousson. L'Expansion Scientifique Française (Ed). pp. 221-233 (1975).

DAIGNEAULT R, GAGNÉ M et LETELLIER G. *SMAC reference values for healthy individuals: variation according to age and sex.* Mediad Inc., New York. pp. 219-222 (1977).

SIEST G, HENNY F et SCHIELE F. *Interprétation des examens de laboratoire. Valeurs de référence et variations biologiques.* S. Karger AG. Basel. (1981)

LETELLIER G. *Valeurs de référence de deux populations bien définies: les nouveau-nés et les femmes en post-partum*. Clin. Biochem. 14, 169-172 (1981).

Interférences méthodologiques

YOUNG D S, PESTANER L,C, et GIBBERMAN VAL. *Effects of drugs on clinical laboratory tests*. Clin. Chem. 21, lD-432D (1975).

VINET B. et LETELLIER G. *The* «in vitro» *effect of drugs on biochemical parameters determined by a SMAC system*. Clin. Biochem. 10, 47-51 (1977).

WRIGHT L A et FOSTER M G. *Effect of some commonly prescribed drugs on certain chemistry tests*. Clin. Biochem. 13, 249-252 (1980).

LETELLIER G. *How does drug interference relate to quality assurance?* Dans *Quality assurance in health care: a critical appraisal of clinical chemistry*. AACC-CAP (Ed). Washington. pp. 135-168 (1980).

Achevé d'imprimer sur
les presses des ateliers
Guérin de Montréal.